"Eu e Minha Boca Grande!"

Sua Resposta Está Bem Debaixo do Seu Nariz

JOYCE MEYER

"Eu e Minha Boca Grande!"

Sua Resposta Está Bem Debaixo do Seu Nariz

1ª Edição

Edição publicada mediante acordo com FaithWords, New York, New York. Todos os direitos reservados.

Diretor
Lester Bello

Autora
Joyce Meyer

Título Original
Me and my big mouth!

Tradução
Ana Paula Barroso Magalhães

Revisão
Tucha

Design capa (Adaptação)
Fernando Duarte
Ronald Machado

Impressão e Acabamento
Promove Artes Gráficas

bello

Rua Major Delfino de Paula, 1212
São Francisco, CEP 31.255-170
Belo Horizonte/MG - Brasil
contato@belloeditora.com
www.belloeditora.com

© 1997 Joyce Meyer
Copyright desta edição: FaithWords

Publicado pela Bello Com. e Publicações Ltda-ME. com devida autorização de FaithWords, New York, New York.

Todos os direitos autorais desta obra estão reservados.

1ª Edição - Setembro 2005
Reimpressão - Julho 2024

M612　Meyer, Joyce
　　　　Eu e minha boca grande! - Joyce Meyer; tradução de Ana Paula Barroso Magalhães. Belo Horizonte: Bello Publicações, 2016.

　　　224 p.
　　　Título original: Me and my big mouth!: Your answer is right under your nose.
　　　ISBN: 978.85.61721.02-2

　　　1. Poder das palavras. 2. linguagem de Deus 3. Ensino bíblico
　　　I. Clavello, Célia Regina Chazanas II. Título.

CDD: 234.2　　　　　　　　　　　　CDU: 230.112

Sumário

Introdução 7

Capítulo 1 – Aprendendo a Falar a Linguagem de Deus 9

Capítulo 2 – O Efeito das Palavras no Reino Natural 19

Capítulo 3 – Chamando à Existência as Coisas Que não Existem Como Se Existissem 27

Capítulo 4 – Profetize Seu Futuro 39

Capítulo 5 – Tornando-se Porta-Voz de Deus 55

Capítulo 6 – Murmure e não Saia do Lugar, Louve e Seja Exaltado 63

Capítulo 7 – Passe para a Outra Margem 85

Capítulo 8 – Cultivando a Semente 104

Capítulo 9 – O Jejum Inclui a Língua 113

Capítulo 10 – A Língua Difamadora 121

Capítulo 11 – Palavras Irritadas e Impacientes Causam Problemas 133

Capítulo 12 – Não Fale Palavras Torpes 151

Capítulo 13 – Uma Língua que Cura 169

Conclusão 189

Versículos sobre a Língua 191

Oração Para um Relacionamento Pessoal com o Senhor 209

Notas Finais 211

Bibliografia 215

Sobre a Autora 217

Entre em contato 219

> Nós, porém, temos a mente de Cristo (o Messias) e temos os pensamentos (sentimentos e propósitos) do seu coração.
>
> 1 Co 2.16.

Introdução[1]

Como crentes, precisamos entender a alma e ser treinados para discernir as suas atividades. Como definido neste estudo, a alma consiste de mente ou intelecto, vontade e emoções. Uma vez que a alma está cheia do "eu", ela pode e deve ser purificada e transformada em um vaso pronto para o uso do Mestre. (2 Tm 2.21.)

A língua expressa o que pensamos, sentimos e queremos. A mente diz o que pensamos, não necessariamente o que Deus pensa. A vontade diz o que queremos, não o que Deus quer. As emoções dizem o que sentimos, não o que Deus sente. Ao mesmo tempo em que nossa alma é purificada, também é treinada para conduzir os pensamentos, desejos e sentimentos de Deus e, assim, transformar-nos em porta-vozes do Senhor.

A Palavra de Deus ensina, em 1 Coríntios 2.16, que nos foram dados, a mente de Cristo e os pensamentos, sentimentos e propósitos do seu coração. Temos a mente de Cristo, mas a alma não crucificada os "impede" de aparecer. Há uma luta contínua entre a carne e o espírito.

O corpo e a alma unidos formam o que a Bíblia se refere como "a carne". Portanto, usaremos os termos "a alma" e "a carne" alternadamente.

---

[1] Na sua maioria, as citações bíblicas, no original, são da Amplified Bible, versão ainda não traduzida para o português. Nesta tradução, portanto, optamos por utilizar a versão *Almeida* Revista e Atualizada (SBB 1997), compatibilizada com o texto da versão *King James*. Os textos entre colchetes são traduções da *Amplified Bible*. (Nota da tradutora)

O homem quer pensar seus próprios pensamentos, mas Deus deseja usar a mente do homem para pensar os pensamentos dele. O homem tem seus próprios desejos, que podem ser mudados conforme os desejos de Deus, se ele se submeter ao Espírito Santo. O homem vive grande parte de sua vida guiado por seus sentimentos, que parecem ser o inimigo número um dos crentes. Os sentimentos podem ser treinados a estar sob a liderança do Espírito, mas este é um processo que requer tempo e zelo.

Neste livro fala-se sobre a língua, que pode expressar a carne ou o espírito. Ela pode ser usada para verbalizar a Palavra de Deus ou como um veículo para expressar a obra do inimigo. Creio que nenhum filho de Deus quer ser usado como um porta-voz do diabo, mas muitos o são.

Provérbios 18.21 declara: *A morte e a vida estão no poder da língua; o que bem a utiliza come do seu fruto*. Não há nenhum outro assunto na Bíblia que deveríamos levar mais seriamente em conta do que a língua. Ela pode ser usada para trazer bênçãos ou destruição, não somente para nós, mas também para muitos outros.

Livros excelentes têm sido escritos sobre a língua. Quando Deus colocou no meu coração o desejo de escrever um livro sobre esse assunto, devo admitir que pensei: "Para quê? O que posso dizer que já não tenha sido dito"? Mas creio, realmente, que Deus quis que este livro fosse escrito e também que ele será oportuno na vida de todos aqueles que o lerem.

Oro para que a unção do Espírito Santo esteja neste livro, de maneira poderosa, para trazer revelação, convicção e arrependimento. Oro para que, enquanto você o estiver lendo, cada palavra desperte em sua alma um novo desejo de ser um porta-voz de Deus.

> Ao que Jesus lhes disse: Tende fé em Deus [constantemente]; porque em verdade vos afirmo que, se alguém disser a este monte: Ergue-te e lança-te no mar, e não duvidar no seu coração, mas crer que se fará o que diz, assim será com ele.
>
> Mc 11.22-23

Capítulo 1
Aprendendo a Falar a Linguagem de Deus

Você tem problemas? A resposta está bem debaixo do seu nariz. Pelo menos, em grande parte. Não creio que alguém possa viver em vitória sem estar bem informado do poder das palavras. Normalmente, quando temos montanhas em nossa vida, falamos *sobre* elas; mas a Palavra de Deus nos instrui a falar *para* elas, como observamos nas palavras de Jesus nessa passagem.

Você Está Falando sobre Suas Montanhas – ou para Suas Montanhas?

Quando Jesus disse para falarmos à nossa montanha, em fé, ordenando que se erga e se lance ao mar, essa é uma declaração fundamental que merece um estudo.

Em primeiro lugar, o que falamos para as montanhas em nossa vida? É óbvio que não é para lançar sobre elas a nossa vontade, mas sim a vontade de Deus expressa em sua Palavra.

Em Lucas 4, quando Jesus estava sendo tentado por Satanás no deserto, ele respondeu a cada tentação com a Palavra de Deus. Jesus, repetidamente, diz "Está escrito", e os versículos citados que vão de encontro às mentiras e decepções do diabo se seguem.

Temos uma tendência de "tentar" isso por um tempo e, quando não vemos resultados rápidos, paramos de falar a Palavra para os problemas e novamente começamos a falar nossos sentimentos, que é, provavelmente, o que nos levou ao começo de tudo.

Um entalhador pode martelar uma pedra 99 vezes sem que haja evidência de que esteja acontecendo alguma coisa. Então, na centésima vez, ela pode partir-se em duas. Cada golpe estava enfraquecendo a pedra, sem que houvesse sinais que o indicassem.

A persistência é um elo vital para a vitória. Devemos saber em que cremos e dedicar-nos a conhecê-lo até ver o resultado.

Obediência e perdão são tão importantes quanto fé e perseverança

> Por isso, vos digo que tudo quanto em oração pedirdes, crede (acredite e confie) que recebestes, e será assim convosco.
>
> E, quando estiverdes orando, se tendes alguma coisa contra alguém, perdoai, (esqueça) para que vosso Pai celestial vos perdoe as vossas [próprias] ofensas.
>
> [Mas, se não perdoardes, também vosso Pai celestial não vos perdoará as vossas ofensas.]
>
> Mc 11.24-26

Para ter certeza de que mantemos o equilíbrio neste ensinamento, deixe-me dizer-lhe que falar a Palavra de Deus é algo poderoso e absolutamente necessário para vencer. No entanto, essa não é a única doutrina na Palavra de Deus.

Por exemplo, a obediência é igualmente importante. Se uma pessoa pensa que pode viver em desobediência e ao mesmo tempo falar a Palavra de Deus para suas montanhas e, ainda assim, ser vitoriosa, ficará profundamente desapontada, como Jesus demonstra claramente nessa passagem.

Marcos 11.22-26 deve ser considerado como um todo. No versículo 22, Jesus disse que devemos ter fé em Deus. No versículo 23, ele ensina a liberar a fé falando para as montanhas. No versículo 24, ele fala da oração e da importância de orar, crendo. No versículo 25, Jesus manda perdoar. E no versículo 26 ele afirma claramente que, se não perdoarmos, também nosso Pai celestial não perdoará as nossas ofensas.

Não há nenhum poder em falar a uma montanha se o coração estiver cheio de falta de perdão. E esse é um problema endêmico entre os filhos de Deus.

Multidões de pessoas que aceitam Cristo como seu Salvador pessoal se decepcionam ao tentar colocar em prática um dos princípios de Deus enquanto ignoram completamente outro.

Obediência é o tema central da Bíblia. Para muitos de nós, a vida está um caos por causa da desobediência. A desobediência pode ser resultado de ignorância ou de rebelião. A única maneira de sair do caos é arrepender-se e retornar à submissão e à obediência.

Não Ignore os "Ses" e os "Mas"

> Se atentamente ouvires a voz do SENHOR, teu Deus, tendo cuidado de guardar todos os seus mandamentos que hoje te ordeno, o SENHOR, teu Deus, te exaltará sobre todas as nações da terra.
>
> Se ouvires a voz do SENHOR, teu Deus, virão sobre ti e te alcançarão todas estas bênçãos.
>
> Dt 28.1-2

Por favor, observe os "ses" nesta passagem. Com muita freqüência, escolhemos ignorar os "ses" e os "mas" na Bíblia.

Considere, por exemplo, 1 Coríntios 1.9-10:

> Fiel é Deus (confiável, fidedigno e portanto, verdadeiro em suas promessas e podemos depender dele), pelo qual fostes chamados à comunhão de seu Filho Jesus Cristo, nosso Senhor. Rogo-vos, irmãos, pelo nome de nosso Senhor Jesus Cristo, que faleis todos a mesma coisa e que não haja entre vós divisões; antes, sejais inteiramente unidos, na mesma disposição mental e no mesmo parecer.

Deus é fiel, e nos beneficiamos dessa fidelidade ao honrá-lo em obediência nos relacionamentos. A desobediência não muda a Deus. Ele é fiel, apesar da desobediência. A obediência, no entanto, abre a porta para a bênção, que já foi liberada por causa da bondade de Deus.

Este livro seria uma tragédia, na minha avaliação, se eu tentasse ensinar que podemos receber o que dizemos sem esclarecer que isso *deve* se alinhar com a Palavra de Deus e sua vontade. "Falar para nossas montanhas" não é um passe de mágica ou encantamento que usamos quando estamos com problema, ou quando queremos alguma coisa e continuamos num estilo de vida desobediente e carnal.

Crianças

> Eu, porém, irmãos, não vos pude falar como a [homens] espirituais, e sim como a carnais [homens na carne, nos quais a natureza carnal predomina], como a crianças [na nova vida] em Cristo [incapazes ainda de falar.]
>
> 1 Co 3.1

Enquanto estivermos na carne devemos orar e esperar que Deus nos mostre misericórdia e não nos dê o que pedimos. Falamos muitas coisas que são da nossa vontade, e não da vontade de Deus, simplesmente porque não conhecemos a diferença. Como "bebês em Cristo", simplesmente não sabemos como falar ainda, como Paulo diz nesta passagem:

> *Assim como bebês naturais devem aprender a falar a língua dos mais velhos, assim os cristãos devem aprender a falar à maneira de Deus.*

Aprendendo a Falar a Linguagem de Deus

> Ora, todo aquele que se alimenta de leite é inexperiente na palavra da justiça (conforme a divina vontade no propósito, pensamento e ação), porque é criança [incapaz ainda de falar]. Mas o alimento sólido é para os adultos, para aqueles que, pela prática, têm as suas faculdades exercitadas para discernir não somente o bem, mas também o mal.
>
> Hb 5.13-14

Precisamos de tempo para aprender a Palavra de Deus e conhecer seu coração. Embora muitas coisas estejam claramente definidas na Palavra e seja óbvio qual é a vontade de Deus, há outras coisas que não estão escritas em preto-e-branco. Devemos conhecer o seu coração e ser guiados pelo seu Espírito.

A Bíblia não diz que tipo de carro comprar ou quando vender a casa e comprar uma nova ou em qual empresa trabalhar. Quando trabalhamos em uma empresa e queremos uma promoção, esse desejo pode ser a vontade de Deus para nós; mas também pode ser cobiça. Como saber a diferença?

O tempo é a resposta.

Leva tempo para conhecer a Deus, conhecer nosso próprio coração e ser totalmente sinceros com nós mesmos e com Deus. Leva tempo para aprender sobre motivações e discernir se as nossas são puras.

"Se For da Tua Vontade"

> [...] Nada tendes, porque não pedis;
> [Ou] pedis [a Deus] e não recebeis, porque pedis mal, para [quando consegue o que deseja] esbanjardes em vossos prazeres.
>
> Tg 4.2-3

Uma vez ouvi dizer que uma pessoa de fé nunca orará: "Se for da tua vontade". Não houve nenhuma outra explicação, portanto, como uma recém-convertida, tomei a declaração ao pé da letra. Da mesma forma, ouvi que eu poderia ter o que dissesse, mas ninguém me falou que eu precisava crescer. Talvez alguém tenha dito, mas estava tão cheia de mim mesma que não ouvi. Estava totalmente fora do equilíbrio. Eu queria o que queria e pensei que tinha encontrado uma nova forma de conseguir. Há algumas coisas tão claras na Palavra de Deus que não temos que orar "se for da tua vontade".

A salvação é um bom exemplo.

Em 1Timóteo 2.3-4, a Bíblia declara que é da vontade de Deus que todos sejam salvos e cheguem ao seu pleno conhecimento.

Eu nunca oraria, "querido Pai Celestial, peço, em nome de Jesus que salves _____ se for da tua vontade". Eu já sei que é da vontade de Deus salvar aquela pessoa.

Aprendendo a Falar a Linguagem de Deus

Tiago 4.2 diz que não temos porque não pedimos. O versículo 3 diz que, às vezes, pedimos e não recebemos porque pedimos mal e por motivos egoístas.

Percebo que, às vezes, é difícil pensar isso de nós mesmos, contudo é verdade, principalmente para o crente que não permitiu o processo de purificação de Deus em sua vida. Nesse estado, uma pessoa tem Deus dentro dela, mas também tem uma abundância de "si" mesma.

Quando o que pedimos não está claramente descrito na Palavra e não temos certeza da resposta de Deus, é sábio, e é um ato de verdadeira submissão, orar "seja feita a tua vontade".

Lembro-me de um exemplo, muitos anos atrás, quando meu marido Dave e eu estávamos de férias num lindo lugar na Geórgia. Estávamos muito cansados, e Deus permitiu que tivéssemos um tempo de folga para recobrar nossas energias. Gostamos tanto do lugar que planejamos levar nossos filhos para passar umas férias prolongadas no ano seguinte. Estávamos cheios de planos e animadamente falávamos sobre eles. Comecei a "declarar" (fazer uma confissão verbal): "Voltaremos aqui nas férias do ano que vem, e toda nossa família será abençoada neste lugar".

De repente, o Espírito Santo falou em Tiago 4.15: *Em vez disso, devíeis dizer: se o Senhor quiser, não só viveremos, como também faremos isto ou aquilo.* E mais tarde, ao estudar este versículo, também observei o versículo 16: *Agora, entretanto, vos jactais [falsamente] das vossas arrogantes pretensões. Toda jactância semelhante a essa é maligna.*

Há uma diferença entre fé e confiança, tolice e presunção. A menos que a diferença seja discernida, a vida espiritual se torna uma tragédia, em vez de um triunfo.

Pessoalmente, não sinto que seja fraca na fé quando oro: "Senhor eu quero isto ___ *se* for da tua vontade, *se* isso se encaixa no teu plano, *se* for o teu melhor para mim e *se* for no teu tempo".

Provérbios 3.7 diz: *Não sejas sábio aos teus próprios olhos...* Guardo esse versículo no coração e, acredite, ele me poupou de muita angústia.

Houve um tempo em que pensei que soubesse tudo e que, se todos me ouvissem, nos daríamos bem. Descobri, no entanto, que não sei absolutamente nada, comparado com o que Deus sabe.

Devemos resistir à tentação de brincar de ser o "Espírito Santo". Pelo contrário, devemos deixar Deus ser Deus.

Equilíbrio, Sabedoria, Prudência, Bom Senso e Bom Julgamento

> Todo prudente procede com conhecimento, mas o [autoconfiante] insensato espraia a sua loucura.
>
> Pv 13.16

Percebo que, nos meus vinte anos de observação no Reino de Deus, que pessoas e mestres têm dificuldade com o equilíbrio. A doutrina que se refere ao poder das palavras, à língua, à confissão, a proclamar as coisas que não são como se fossem e chamar coisas à existência é um exemplo pelo qual tenho visto pessoas chegarem ao extremo. Parece que a carne quer viver à beira do caminho e tem dificuldade em se manter nos limites de segurança.

> Sede sóbrios (temperados, equilibrados) e vigilantes. O diabo, vosso adversário, anda em derredor, como leão que ruge [com uma fome feroz] procurando alguém para devorar.
>
> 1Pe 5.8

Os extremos são, na verdade, o *playground* do diabo. Se ele não pode levar um crente a ignorar completamente uma verdade e viver decepcionado, sua próxima tática será torná-lo tão parcial e sem equilíbrio com aquela verdade que não estará numa condição melhor do que antes. Às vezes, ele estará bem pior.

A sabedoria é o tema central da Palavra de Deus. Na verdade, não há verdadeira vitória sem ela.

No *Webster's II New College Dictionary*,[1] *sabedoria* é definida como "1. Compreensão do que é verdadeiro, certo ou duradouro. 2. Bom julgamento, senso comum." Tenho lidado com muitas pessoas nos últimos anos, tanto leigos quanto ministros da Igreja, que simplesmente não usam o bom senso.

A sabedoria não é radical. Provérbios 1.1-4 diz que *a sabedoria é cheia de prudência e a prudência é boa despenseira*.

Neste mesmo dicionário, *prudência* é definida como "administração cuidadosa, ECONOMIA."[2] O adjetivo *prudente* é definido como "usar bom julgamento ou bom senso ao lidar com assuntos práticos".[3] Creio que podemos dizer que sabedoria é uma combinação de equilíbrio, bom senso e bom julgamento.

Um mestre da Palavra de Deus tem a responsabilidade de se fazer entender de maneira sensata, para que os crentes de qualquer nível espiritual o compreendam. Fazer uma declaração generalizada de que "você pode ter o que diz", sem qualquer explicação, é perigosa para o cristão imaturo. Creio que, como mestres chamados para treinar os filhos de Deus, é nossa responsabilidade perceber que nem todos que nos ouvem compreendem essa declaração. Significa que você pode ter o que diz, *se* o que diz está alinhado com a Palavra e a vontade de Deus naquele momento particular.

As pessoas carnais ouvem a mensagem com um "ouvido carnal". Durante seu crescimento espiritual, elas podem ouvir a mesma mensagem de maneira completamente diferente do que ouviram na primeira vez.

Isso não quer dizer que a mensagem estava errada, mas um pouco mais de esclarecimento poderia ter evitado que os "bebês" espirituais ficassem inseguros.

A maioria dos mestres tem uma "tendência" própria em seus ensinamentos – o que é legítimo. Isso tem a ver com o chamado de Deus na vida deles. Alguns são chamados para exortar e manter os filhos de Deus animados, zelosos e perseverantes, outros podem ser chamados para ensinar a fé e outros, prosperidade. Há aqueles que são chamados para ensinar quase que exclusivamente finanças. Muitos têm sido chamados para ensinar e ministrar sobre a cura.

Penso que quando as pessoas são chamadas para fazer alguma coisa, estão tão cheias do que Deus colocou nelas, que, se não forem cuidadosas, podem ficar tendenciosas. Podem começar a agir como se o que estão ensinando fosse a única coisa importante na Bíblia. Isso pode não ser intencional, mas novamente sinto que é nossa responsabilidade ter certeza de que estamos apresentando o material de forma equilibrada, lembrando que os "bebês em Cristo" só conhecem o que ministramos a eles, e nada mais.

Creio fortemente no poder da confissão. Creio que devemos falar para nossas montanhas e também que muitas, senão a maioria, das respostas aos problemas estão definitivamente bem debaixo do nosso nariz – na língua. Creio fortemente na maturidade do crente, na crucificação da natureza carnal, na morte do egoísmo, na necessidade da obediência e na submissão ao Espírito Santo.

Em outras palavras, não estou tentando ensinar algo que somente o ajude a sair do problema ou conseguir algo que você queira. Tenho esperança de ajudá-lo a aprender como cooperar com o Espírito Santo para ver a vontade de Deus cumprida em sua vida.

Capítulo 2
O Efeito das Palavras no Reino Natural

> Se, com a tua boca, confessares Jesus como Senhor e, em teu coração, creres (confia em e depende da verdade) que Deus o ressuscitou dentre os mortos, serás salvo. Porque com o coração se crê [confia em e depende de Cristo] para justiça [é declarado justo, aceitável a Deus] e com a boca se confessa [declara abertamente e fala livremente sua fé] a respeito [sua] da salvação.
>
> Rm 10.9-10

Nessa passagem, o apóstolo Paulo destaca uma verdade espiritual aplicada à salvação, mas creio que é uma verdade que pode ser aplicada a outras questões também.

A confissão da crença de uma pessoa confirma sua salvação diante dos homens, mas não diante de Deus. Deus já sabe o que está em seu coração.

A confissão confirma a posição do crente diante do inimigo de sua alma. Ela declara uma mudança de fidelidade. Antes ele servia ao diabo, mas a notícia que é dada agora é que ele mudou de dono.

O estudioso bíblico W.E. Vine definiu duas das palavras gregas, *confirmar*, na *Versão King James*, como "firmar, estabelecer, fazer seguro"[1] e "validar, ratificar, conferir autoridade ou influenciar",[2] e a palavra *confirmação* ele definiu como "de validade fidedigna."[3]

Baseados nessas definições podemos dizer que a confissão verbal firma, estabelece, assegura, ratifica e dá validade fidedigna à salvação. Em outras palavras, a confissão "fixa a salvação no lugar".

Proclamando o Decreto

> Proclamarei o decreto do SENHOR: Ele me disse: Tu és meu Filho, eu, hoje [declaro], te gerei.
>
> Sl 2.7

Assisti a um filme uma vez em que um rei baixou um decreto real. Ele decretou uma ordem ou lei e enviou cavaleiros por todo o país para "proclamar o decreto" aos cidadãos do reino.

No Antigo Testamento, encontramos a emissão de tais decretos reais em Ester 8.8-14 e, no Novo Testamento, em Lucas 2.1-3.

No Salmo 2.7, o salmista escreveu *proclamarei o decreto do Senhor*. Que decreto? O decreto no qual o Senhor proclama que ele (falando de Jesus) é seu Filho unigênito. (Hb 1.1-5.)

A Palavra escrita de Deus é seu decreto formal. Quando um crente declara essa palavra com sua boca, com o coração cheio de fé, suas palavras são pronunciadas para estabelecer a ordem de Deus em sua vida.

Quando o Decreto Real é proclamado, as coisas começam a mudar!

O Plano de Deus – Nossa Escolha

> Pois tu formaste o meu interior, tu me teceste no seio de minha mãe. Graças te dou, visto que por modo assombrosamente maravilhoso me formaste; as tuas obras são admiráveis, e a minha alma o sabe muito bem;
> os meus ossos não te foram encobertos, quando no oculto fui formado e entretecido [como se tecido de várias cores] como

O Efeito das Palavras no Reino Natural

nas profundezas da terra [uma região de trevas e mistério]. Os teus olhos me viram a substância ainda informe, e no teu livro foram escritos todos os meus dias [de minha vida], cada um deles escrito e determinado, quando nem um deles havia ainda.

Sl 139.13-16

O plano de Deus para nossa vida tem sido estabelecido no reino espiritual desde antes da fundação do mundo e é um plano bom, como vemos em Jeremias 29.11: *Eu é que sei que pensamentos tenho a vosso respeito, diz o Senhor; pensamentos de paz e não de mal, para vos dar o fim que desejais.*

Satanás tem dado duro para destruir o plano do Senhor na maior parte de nossa vida e tem alcançado alto índice de sucesso.

Deus enviou seu único filho, Jesus, para nos resgatar e restaurar todas as coisas na ordem correta. Ele escreveu sua vontade para nossa vida, e, se crermos e falarmos, isso começará a se tornar realidade.

Algumas pessoas crêem em muitas coisas, mas vêem pouca manifestação delas. Talvez seja porque crêem, mas não falam. Elas podem ver algum resultado de sua fé, mas não os resultados radicais que experimentariam se colocassem a boca e o coração a serviço de Deus. (Rm 10.9-10.)

Algumas pessoas estão tentando viver nas bênçãos do Senhor enquanto ainda falam como o diabo. Não devemos cometer esse erro. Não veremos resultados positivos em nossa vida se falarmos coisas negativas. Devemos lembrar que o que estamos falando estamos trazendo à existência. Penetramos no reino do espírito e recebendo de acordo com as nossas palavras. Podemos penetrar no reino de Satanás, o reino das maldições, e obter coisas más, negativas, ou podemos penetrar no reino de Deus, o reino das bênçãos, e obter coisas boas e positivas.

A escolha é nossa.

Criado e Sustentado pela Palavra de Deus

> Pela fé, entendemos que foi o universo [durante eras sucessivas] formado (confeccionado, colocado em ordem e equipado para o seu propósito) pela palavra de Deus, de maneira que o visível veio a existir das coisas que não aparecem.
>
> Hb 11.3

A terra que Deus criou não foi feita de material que pudesse ser visto. Como lemos em Gênesis 1, Deus falou e as coisas começaram a aparecer: a luz, o céu, a terra, a vegetação, as plantas que davam sementes, as feras selvagens e os animais domésticos. A terra e tudo o que nela há foram criados do nada, e hoje é sustentada por nada que possa ser visto.

Em Hebreus 1.3, lemos que Deus está ... *sustentando todas as coisas pela palavra do seu poder...* O universo criado por suas poderosas palavras até hoje está sendo sustentado pela mesma coisa.

Você pode dizer: "Bem, é claro Joyce, mas ele é Deus".

Devemos nos lembrar, sempre, de que somos criados à imagem de Deus (Gn 1.26-27) e agir como ele.

Faça o Que Deus Faz...

> Sede, pois, imitadores de Deus [copie-o e siga seu exemplo], como filhos amados [que imitam os pais].
>
> Ef 5.1

O Efeito das Palavras no Reino Natural

Nessa passagem, Paulo declarou que devemos imitar a Deus, seguir seu exemplo. Em Romanos 4.17, lemos que Deus... *vivifica os mortos e chama à existência [o que ele prometeu e previu] as coisas que não existem*. A Palavra de Deus é sua promessa para nós e devemos falar das coisas que ele nos promete como se já existissem.

Não devemos esquecer o equilíbrio. Por exemplo, vejamos o caso de uma pessoa que está visivelmente doente, tossindo muito. Sua voz está muito rouca e o nariz e olhos estão vermelhos e lacrimejando. Sente-se muito cansada. Um amigo lhe diz: "Você está doente"? Qual é a resposta apropriada que ela poderia dar ao amigo? Uma resposta cheia de fé, mas que também fosse honesta e cortês? Creio que parte da resposta se encontra no nível espiritual do amigo.

... Mas Faça com Sabedoria

Porque, sendo livre de todos, fiz-me escravo de todos, a fim de ganhar o maior número possível [para Cristo].

Procedi, para com os judeus, como judeu, a fim de ganhar os judeus; para os que vivem sob o regime da lei, [tornei-me] como se eu mesmo assim vivesse, para ganhar os que vivem debaixo da lei, embora não esteja eu debaixo da lei.

Aos sem (fora) lei, como se eu mesmo o fosse, não estando sem lei para com Deus, mas debaixo da lei de Cristo, para ganhar os que vivem fora do regime da lei.

Fiz-me fraco [necessitado de discernimento] para com os fracos com o fim de ganhar os fracos. Fiz-me [em resumo] tudo para com todos, com o fim de, por todos os modos (a todo custo e de toda maneira) salvar alguns [levando-os a ter fé em Jesus Cristo].

1Co 9.19-22

O apóstolo Paulo disse que ele ia aonde as pessoas estavam, com o fim de ganhá-las para Cristo. Além de nos dizer para imitar a Deus, ele também nos diz para imitá-lo: *Sede meus imitadores* [sigam meu exemplo] *como também eu sou de Cristo* (o Messias) (1Co 11.1). Isso é importante, principalmente quando se lida com "os sem" conhecimento e sem compreensão espiritual. Se o amigo que pergunta pela saúde do outro não é um cristão, a resposta deverá ser diferente daquela dada a um crente.

Por exemplo, se fosse eu a pessoa doente e me perguntasse sobre minha saúde, diria apenas: "Não me sinto muito bem, mas dias melhores virão." Ou poderia dizer: "Meu corpo está sendo atacado, mas estou pedindo a Deus que me cure".

Freqüentemente, cristãos bem-intencionados, mas exageradamente zelosos, que não usam de bom senso têm afastado as pessoas agindo como criaturas alienadas.

Devemos nos lembrar de que nós, crentes, falamos uma língua que o mundo não compreende. Seria impróprio, por exemplo, dizer a um não crente: "Bem, o diabo pensa que colocou uma doença em mim, mas, graças a Deus, não aceito; estou curado pelas chagas de Jesus"! Esse tipo de conversa não mostra amor pela pessoa que pergunta, principalmente se sabemos que ela não tem idéia do que estamos falando.

As pessoas têm usado esse tipo de linguagem comigo e, embora entenda o que querem dizer, isso sempre me soa como uma bofetada. Normalmente, essas pessoas são muito ásperas em suas atitudes. Estão tão empe-

O Efeito das Palavras no Reino Natural

nhadas em obter a cura, mas não são sensíveis ao Espírito Santo. Não se importam nem um pouco em como suas palavras podem ferir a pessoa que se preocupa com elas.

Como crentes, podemos "rejeitar a doença" sem escandalizá-los com uma resposta ríspida. Muitas pessoas pensam que estão em um elevado nível espiritual, mas, estranhamente, não mostram nenhum fruto do Espírito (Gl 5.22-23) – principalmente o fruto do amor, o "caminho sobremodo excelente" que o apóstolo Paulo diz que "não se exaspera, não se ressente do mal." (1 Co 13.5.)

Uma vez que a fé se manifesta em amor, de acordo com Gálatas 5.6, duvido que a minha fé funcionaria e eu seria curada se fosse áspera com os outros.

As pessoas não pretendem ser grosseiras; só estão inseguras porque pensam que, se admitirem que estão doentes, estarão fazendo uma confissão negativa. Se realmente estão doentes, e isso é óbvio para todo mundo, por que negar?

Jesus é quem nos cura, e a verdade é mais poderosa do que o fato.

Eu estava numa terrível confusão por ter sido abusada durante minha vida inteira, mas fui curada pelo poder da Palavra de Deus e pelo Espírito Santo. Não tive de negar onde estive para chegar onde estou. Precisei encontrar uma maneira mais positiva de falar e permitir que minha fala fosse cheia de esperança em vez de desesperança, fé em vez de dúvida.

Como imitadores de Deus, devemos fazer o que ele faz – *chama à existência as coisas que não existem.* (Rm 4.17.) E podemos fazê-lo sem ofender as pessoas que ainda não entendem. Podemos "proclamar o decreto" em particular e, quando alguém perguntar, podemos responder com palavras positivas e não deixar a outra pessoa pensando que os cristãos são de outro planeta e que tudo em que crêem é estranho.

Pessoas não espirituais têm de ser ensinadas – e nós também. O apóstolo Paulo compreendia esse fato. É o que quis dizer quando escreveu para a Igreja em Corinto: *Ora, o homem natural não aceita as coisas do Espírito de Deus, porque lhe são loucura (sem sentido ou significado) e não pode entendê-las (progressivamente reconhecer, compreender e ficar familiarizado com elas), porque elas se discernem espiritualmente.* (1 Co 2.14.)

Em uma passagem posterior, Paulo escreveu aos Colossenses: *Portai-vos com sabedoria [vivendo prudentemente e com discrição] para com os que são de fora (os incrédulos) ... A vossa palavra seja sempre agradável, temperada [como se fosse] com sal, para saberdes como deveis responder a cada um [que lhe faça alguma pergunta].* (Cl 4.5-6.)

Em outras palavras, Paulo estava dizendo aos crentes do seu tempo e a nós: "Tenham cuidado em como falam àqueles que não estão no seu nível espiritual. Usem de sabedoria e bom senso. Sejam guiados pelo Espírito Santo".

... Deus... chama à existência as coisas que não existem.
Rm 4.17

Capítulo 3
Chamando à Existência as Coisas Que não Existem Como Se Existissem

Para mim, um dos maiores privilégios em ser filho de Deus é o de penetrar no reino onde Deus está e chamar "à existência coisas que não são como se fossem".

No entanto, essa prática pode atuar contra nós se estivermos chamando por coisas que não são da vontade de Deus, mas do inimigo. Na verdade, o mundo parece estar viciado em chamar a destruição.

Por exemplo, uma pessoa espirra e diz: "Provavelmente peguei este resfriado que está por aí". Ou, ao ouvir algum rumor de que a empresa para a qual ele trabalha vai demitir alguns empregados, logo diz: "Provavelmente, vou perder meu emprego. Esta é a história de minha vida: toda vez que as coisas começam a ir bem, alguma coisa sempre acontece".

Sem saber estão penetrando no reino do espírito (o reino invisível) e chamando as coisas que ainda não são como se já fossem. Estão temendo o que não aconteceu ainda e, pela fé negativa, estão pronunciando as palavras que moldarão o seu futuro.

Mantenha uma Lista de Confissão

Eu cria (confiava em, dependia de e agarrava-me ao meu Deus), ainda que disse...

Sl 116.10

Recomendo que você tenha uma lista de confissões – respaldadas pela palavra de Deus – para declarar sobre a sua vida, sua família, seu futuro.

Quando comecei a aprender esses princípios que compartilho com você neste livro, eu era terrivelmente negativa. Era cristã e ativa na obra da Igreja. Meu marido e eu éramos dizimistas e freqüentávamos a Igreja regularmente, mas não sabíamos que poderíamos mudar as circunstâncias.

Deus começou a me ensinar que não devia pensar nem dizer coisas negativas. Senti que ele me dizia que não poderia trabalhar em mim até que parasse de ser tão negativa. Eu obedeci, e como resultado tornei-me mais feliz, pois uma pessoa negativa não pode ser feliz.

Depois de certo tempo, senti que as circunstâncias realmente não estavam mudando. Perguntei ao Senhor sobre isso e ele disse: "Você parou de falar coisas negativas mas não está dizendo nada positivo". Esta foi minha primeira lição em "chamar as coisas que não são como se fossem".

Isso não me foi ensinado por ninguém mais; Deus mesmo estava me ensinando, e isso provou ser uma das maiores revelações, um dos maiores avanços em minha vida.

Fiz uma lista das coisas que estava aprendendo e que eram minhas por direito, de acordo com a palavra de Deus. Tinha as escrituras para apoiá-las.

Chamando à Existência as Coisas Que não Existem como Se Existissem

Duas vezes ao dia, durante seis meses aproximadamente, confessei essas verdades em voz alta. Fiz isso em casa, sozinha. Eu não estava falando com nenhuma pessoa; estava declarando a palavra de Deus. Estava *proclamando o decreto!*

Gostaria de compartilhar com você parte da minha lista, mas você deve fazer sua parte e preparar uma lista sob medida para sua situação:

Eu sou uma nova criatura em Cristo; as coisas antigas já passaram; eis que se fizeram novas. (2 Co 5.17.)

Eu morri e ressuscitei com Cristo e agora estou assentada nos lugares celestiais. (Ef 2.5-6.)

Estou morta para o pecado e viva para Deus, em Cristo Jesus. (Rm 6.11.)

Eu fui liberta. Eu sou livre para amar, para adorar, para confiar sem medo de ser rejeitada ou ferida. (Jo 8.36; Rm 8.1.)

Eu sou um crente, não um incrédulo! (Mc 5.36.)

Eu conheço a voz de Deus e sempre obedeço ao que ele me diz. (Jo 10.3-5, 14-16, 27; 14.15.)

Eu amo orar, amo louvar e adorar a Deus. (1 Ts 5.17; Sl 34.1.)

O amor de Deus é derramado em meu coração pelo Espírito Santo. (Rm 5.5.)

Eu me humilho e Deus me exalta. (1 Pe 5.6.)

Eu sou criativa porque o Espírito Santo vive em mim. (Jo 14. 26; 1Co 6.19.)

Eu amo a todos e sou amada por todos. (1 Jo 3.14.)

Eu tenho todos os dons do Espírito Santo. Tenho o dom de línguas e interpretação de línguas, operações de milagres, discernimento dos espíritos, a palavra da fé, a palavra do conhecimento, a palavra da sabedoria, curas e profecia. (1 Co 12.8-10.)

Eu tenho um espírito ensinável. (2 Tm 2.24.)

Eu estudarei a Palavra de Deus; eu orarei. (2 Tm 2.15; Lc 18.1.)

Eu nunca me canso quando estudo a Palavra, oro, ministro ou busco a Deus, mas estou alerta e cheia de energia, e enquanto estudo me torno mais alerta e mais forte. (2 Ts 3.13; Is 40.31.)

Eu sou uma praticante da Palavra. Eu medito na Palavra durante todo o dia. (Tg 1.22; Sl 1.2.)

Eu sou ungida de Deus para ministrar. Aleluia! (Lc 4.18.)

Trabalhar é bom. Eu gosto do trabalho. Glória! (Ec 5.19.)

Eu faço todo o meu trabalho com excelência e grande prudência, fazendo o melhor, em todo o meu tempo. (Ec 9.10; Pv 22.29; Ef 5.15.16.)

Eu ensino a palavra. (Mt 28.19,20; Rm 12.7.)

Eu amo abençoar as pessoas e espalhar o Evangelho. (Mt 28.19-20.)

Eu tenho compaixão e compreensão por todos. (1 Pe 3.8.)

Eu imponho as mãos nos doentes e eles são curados. (Mc 16.18.)

Eu sou uma pessoa responsável. Eu gosto da responsabilidade. (2 Co 11.28; Fl 4.13.)

Eu não julgo meus irmãos em Cristo Jesus segundo a carne. Eu sou uma mulher espiritual e não sou julgada por ninguém. (Jo 8.15; Rm14.10; 1 Co 2.15.)

Eu não odeio ou ando na falta de perdão. (1 Jo 2.11; Ef 4.32.)

Eu lanço todas as minhas ansiedades no Senhor porque ele cuida de mim. (1 Pe 5.7.)

Eu não tenho um espírito de covardia mas de poder, de amor e de moderação. (2 Tm 1.7.)

Eu não temo os homens. Não temo a ira do homem. (Jr 1.8.)

Eu não temo. Eu não me sinto culpada ou condenada. (1 Jo 4.18; Rm 8.1.)

Chamando à Existência as Coisas Que não Existem como Se Existissem

Eu não sou passiva em coisa alguma, mas eu lido com todas as coisas em minha vida imediatamente. (Pv 7.23; Ef 5.15-16.)

Eu levo todo pensamento cativo à obediência de Jesus Cristo, destruindo fortalezas, anulando sofismas e toda altivez que se levante contra o conhecimento de Deus. (2 Co 10.5.)

Eu ando no Espírito o tempo todo. (Gl 5.16.)

Eu não dou lugar ao diabo em minha vida. Eu resisto ao diabo e ele tem que fugir de mim. (Ef 4.27; Tg 4.7.)

Eu pego o diabo em todas as suas mentiras enganosas. Eu as lanço fora e escolho crer na palavra de Deus. (Jo 8.44; 2 Co 2.11; 10.5.)

Nenhuma arma forjada contra mim prosperará. Mas toda língua que ousar contra mim em juízo, eu a condenarei. (Is 54.17.)

Como um homem imagina em sua alma, assim ele é. Portanto, todos os meus pensamentos são positivos. Eu não permito que o diabo use meu espírito como uma lata de lixo, meditando em coisas negativas que ele me sugere. (Pv 23.7.)

Eu não penso de mim mesma além do que convém. (Rm 12.3.)

Eu sou tardia para falar, pronta para ouvir e tardia para me irar. (Tg 1.19.)

Deus abre minha boca e nenhum homem pode fechá-la. Deus fecha a minha boca e nenhum homem pode abri-la. (Ap 3.7.)

Eu não falo coisas negativas. (Ef 4.29.)

Eu me proponho a não transgredir com a minha boca. Eu falarei da justiça e do louvor ao Senhor todo o dia. (Sl 17.3; 35.28.)

Eu sou uma intercessora. (1 Tm 2.1.)

A instrução da bondade está na minha língua. A delicadeza está em meu toque. A misericórdia e compaixão estão em meus ouvidos. (Pv 31.26.)

Eu faço o que digo que farei, chego ao meu destino à hora certa. (Lc 16.10; 2 Pe 3.14.)

Eu nunca prendo um irmão com as palavras da minha boca. (Mt 18.18.)

Eu sou sempre um encorajador positivo. Eu edifico e construo. Eu nunca 'arrasei' ou destruí. (Rm 15.2.)

Eu clamo ao Deus Todo-Poderoso que age em meu favor e me recompensa. (2 Cr 16.9.)

Eu cuido bem do meu corpo. Eu me alimento bem, tenho uma boa aparência, eu me sinto bem, eu peso o quanto Deus quer que eu pese. (1 Co 9.27; 1Tm 4.8.)

Eu expulso demônios; nada mortal pode me ferir. (Mc 16.17,18.)

A dor não pode prevalecer sobre o meu corpo porque Jesus levou toda a minha dor. (Is 53.3-4.)

Eu não corro nem me apresso. Eu faço uma coisa de cada vez. (Pv 9.2; 21.5.)

Eu uso meu tempo sabiamente. Todo meu tempo de oração e estudo é gasto com sabedoria. (Ef 5.15-16.)

Eu sou uma esposa obediente e nenhuma rebelião há em mim. (Ef 5.22-24; 1Sm 15.23.)

Meu marido é sábio. Ele é o rei e sacerdote do nosso lar. Ele toma as decisões corretas. (Pv 31.10-12; Ap 1.6; Pv 21.1.)

Todos os membros de minha família são abençoados em seus atos. Somos abençoados ao entrar e ao sair. (Dt 28.6.)

Meus filhos amam orar e estudar a palavra. Eles abertamente e corajosamente louvam a Deus. (2 Tm 2.15.)

Meus filhos fazem as escolhas certas, de acordo com a palavra de Deus. (Sl 119.130; Is 54.13.)

Chamando à Existência as Coisas Que não Existem como Se Existissem

Todos os meus filhos têm muitos amigos cristãos e Deus separou uma esposa ou esposo cristão para cada um deles. (1 Co 15.33.)

Meu filho David tem uma personalidade agradável e não é rebelde. (Ef 6.1-3.)

Minha filha Laura age com prudência e sabedoria, ela é cheia de energia. (Pv 16.16.)

Eu sou uma doadora. Mais bem-aventurado é dar do que receber. Eu amo dar!

Eu tenho dinheiro suficiente para sempre dar. (At 20.35; 2 Co 9.7-8.)

Recebo convites para palestras, pessoalmente, por telefone ou por correspondência, todos os dias. (Ap 3.7-8.)

Eu sou muito próspera. Eu prospero em tudo o que ponho a mão. Eu tenho prosperidade em todas as áreas de minha vida – espiritual, financeira, mental e social. (Gn 39.3; Js 1.8; 3Jo 2.)

Tudo que tenho está pago. Eu não devo coisa alguma, exceto o amor em Cristo. (Rm 13.8.)

Podemos confessar coisas que não encontramos nos capítulos e versículos?

Sim, creio que sim, desde que tenhamos absoluta certeza de que o que estamos declarando é da vontade de Deus para nós, e não apenas nosso desejo.

Nosso ministro de louvor está conosco há muitos anos. Deus colocou em seu coração que algum dia ele dirigiria o louvor em nosso ministério antes mesmo que houvesse propriamente um ministério. Ele nos contou que Deus continuou colocando o desejo nele e, finalmente, disse-lhe: "Você precisa declarar este desejo em voz alta".

Ele fez como Deus o instruiu, embora se sentisse muito tolo. E começou a declarar palavras cheias de fé: "Eu serei o ministro de louvor do Ministério Vida na Palavra".

O que estava confessando veio a acontecer algum tempo depois. Nós o contratamos para ser nosso ministro de louvor embora não tivesse nenhuma experiência anterior. Era um músico secular de muito talento, mas Deus desejava usá-lo no reino. Ele estava para cumprir o plano original de Deus. Para ele, verbalizar a fé foi um passo importante no cumprimento do propósito de Deus para sua vida.

Eu declarei minha lista de confissões durante seis meses, e desde então ela se tornou parte de mim. Até hoje, quase vinte anos depois, quando oro e confesso a Palavra, ainda ouço muitos desses versículos saírem da minha boca.

No Antigo Testamento, o Senhor instruiu Josué a meditar em sua Palavra "dia e noite" (Js 1.8). No Salmo 119.148 e em outros lugares, o salmista descreve como ele meditava constantemente na Palavra de Deus. No Salmo 1.2, lemos sobre o homem reto: ... *o seu prazer está na lei do Senhor e na sua lei (os preceitos, as instruções, os ensinamentos de Deus) medita (pondera e estuda) de dia e de noite.*

Parte do meditar é murmurar,[1] conversar alto consigo mesmo ou declarar alguma coisa.[2] Confessar a Palavra de Deus ajuda a interiorizá-la no coração.

Hoje, olho para minha lista e fico absolutamente impressionada com tantas coisas que escrevi e que vieram a se realizar. Na época pareciam impossíveis.

Abraão e Sara

> Abrão [louvado pai] já não será o teu nome, e sim Abraão [pai de uma multidão], porque por pai de numerosas nações te constituí...
>
> Disse também Deus a Abraão: A Sarai, tua mulher, já não lhe chamarás Sarai, porém Sara [princesa]. Abençoá-la-ei e dela te darei um filho; sim, eu a abençoarei, e ela se tornará nações; reis de povos procederão dela.
>
> Gn 17.5,15-16

Abraão e Sara nem sempre se chamaram assim; houve um tempo em que o nome deles era Abrão e Sarai. Eles não tinham filhos e passaram da idade de tê-los. Mas receberam uma promessa de Deus de que ele lhes daria um filho, fruto de suas entranhas.

Isso seria um milagre!

Aparentemente Deus mudou os nomes deles porque Abrão e Sarai precisavam de uma nova identidade antes que o milagre acontecesse. Os novos nomes tinham um significado especial. Cada vez que eram chamados, o futuro estava sendo profetizado: Abraão seria o pai de uma multidão e sua princesa, Sara, seria a mãe das nações.

Duvido que a estéril Sarai visse a si mesma como uma princesa. Receber um novo nome foi parte importante de sua nova identidade.

Agora as coisas certas estavam sendo ditas sobre Abrão e Sarai. *Palavras* estavam sendo declaradas e estavam penetrando no reino do espírito, onde o milagre deles estava. Essas palavras começaram a dar vida ao milagre que Deus tinha prometido. As palavras na terra entraram em acordo com a palavra de Deus, declarada em Gênesis 15.

Abraão Creu em Deus

> Depois destes acontecimentos, veio a palavra do SENHOR a Abrão, numa visão, e disse: Não temas, Abrão, eu sou o teu escudo, e teu galardão será sobremodo grande.
>
> Respondeu Abrão: SENHOR Deus, que me haverás de dar, se continuo [neste mundo] sem filhos e o herdeiro da minha casa é o [servo] damasceno Eliézer?
>
> Disse mais Abrão: A mim não me concedeste descendência, e um [servo] nascido na minha casa será o meu herdeiro.
>
> A isto respondeu logo o SENHOR, dizendo: Não será esse o teu herdeiro; mas aquele que será gerado de ti será o teu herdeiro.
>
> Então, conduziu-o até fora [de sua tenda para a luz das estrelas] e disse: Olha para os céus e conta as estrelas, se é que o podes. E lhe disse: Será assim a tua posteridade.
>
> Ele [Abrão] creu (confiou em, dependeu de e permaneceu firme em) no SENHOR, e isso lhe foi imputado para justiça (direito diante de Deus).
>
> Gn 15.1-6

Aqui vemos que, quando Deus disse a Abrão que ele teria um filho e se tornaria pai de muitas nações, ele *creu* em Deus.

Em Romanos 4.18-21 lemos:

> Abraão, esperando contra a esperança, creu, para vir a ser pai de muitas nações, segundo lhe fora dito: Assim [incontável] será a tua descendência.
>
> E, sem enfraquecer na fé, embora levasse em conta o seu próprio corpo amortecido, sendo já de cem anos, e [quando considerou] a idade avançada de Sara,

Chamando à Existência as Coisas Que não Existem como Se Existissem

não duvidou (questionou), por incredulidade, da promessa de Deus; mas, pela fé, se fortaleceu, dando glória a Deus, estando plenamente convicto de que ele era poderoso para cumprir o que prometera.

Assim como Abraão, jamais receberemos um milagre se não acreditarmos que Deus pode realizar o impossível.

No caso de Abrão, o milagre prometido não ocorreu imediatamente. Muitos anos se passaram entre o tempo que Deus lhe disse que seria o pai de muitas nações e o nascimento de seu filho Isaque. Creio que é importante notar que não somente Abraão e Sara creram em Deus, mas as palavras proferidas por eles estavam sendo usadas para liberar a sua fé.

Lembre-se, a versão da *Amplified Bible* de Romanos 4.17 diz que servimos um Deus que ... *fala das coisas não existentes [que ele previa e prometia] como se [já] fossem.* A referência está em Gênesis 17.5, que narra como Deus mudou os nomes de Abrão e Sarai.

Falar de acordo com a Palavra de Deus ou uma palavra específica que tenha sido dada ajuda a manter a fé fortalecida até que nossa manifestação aconteça.

Em Amós 3.3, lemos: *Andarão dois juntos se não houver entre eles acordo?* Não podemos andar de acordo com o plano de Deus se não estivermos de acordo com ele – em nosso coração e com nossas palavras.

A Escolha É Nossa

Os céus e a terra tomo, hoje, por testemunhas contra ti, que te propus a vida e a morte, a bênção e a maldição; escolhe, pois, a vida, para que vivas, tu e a tua descendência,

Dt 30.19

Eu e Minha Boca Grande

Creio que Deus está procurando pessoas em quem plantar suas "sementes de sonhos". Para *sonhar* os sonhos de Deus, devemos estar dispostos a "conceber", a concordar mentalmente com Deus; em outras palavras, crer no que Deus diz.

Crer é o primeiro passo importante, porque o que está no coração sairá de nossa boca: ... *porque a boca fala do que está cheio* (do que transborda, o que está superabundante) *o coração* (Mt 12.34).

Na introdução deste livro, eu disse que a boca expressa o que está na alma. Como definimos anteriormente, a mente é parte da alma. Atraímos as coisas que estão em nossa alma. Se nossa alma e nossa boca estiverem cheias de dúvida, descrença, temor e tudo de negativo, atrairemos essas coisas para nós. Por outro lado, se as mantivermos cheias de Deus e de sua Palavra e de seu plano, isso é o que atrairemos.

A escolha é nossa!

Porque todos tropeçamos em muitas coisas. Se alguém não tropeça no falar, é perfeito varão, capaz de refrear também todo o corpo.

Tg 3.2

Capítulo 4
Profetize Seu Futuro

Qual foi a primeira coisa que disse esta manhã quando saiu da cama? Sobre o que você tem conversado o dia inteiro? Apesar do que você possa pensar, isso é importante – para você e para o seu bem-estar, como Tiago aponta nesse versículo.

As palavras são muito importantes e poderosas e seremos responsabilizados por elas, como Jesus alertou em Mateus 12.37: *Porque, pelas tuas palavras serás justificado e, pelas tuas palavras, serás condenado.*

Por isso, cada um de nós precisa aprender a domar a sua língua.

Domando a Língua

> Observai, igualmente, os navios que, sendo tão grandes e batidos de rijos ventos, por um pequeníssimo leme são dirigidos para onde queira o impulso do timoneiro.
>
> Assim, também a língua, pequeno órgão, se gaba de grandes coisas. Vede como uma fagulha põe em brasas tão grande selva!
>
> Ora, a língua é fogo; [A língua] é mundo de iniqüidade; a língua está situada entre os membros de nosso corpo, e contamina o corpo inteiro, e não só põe em chamas toda a carreira da existência humana (o ciclo da natureza humana), como tam-

bém é posta ela mesma em chamas pelo inferno (Geena). Pois toda espécie de feras, de aves, de répteis e de seres marinhos se doma e tem sido domada pelo gênero humano (natureza); a língua, porém, nenhum dos homens é capaz de domar; é mal incontido (indisciplinado, irreconciliável), carregado de veneno mortífero.

Tg 3.4-8

Tiago diz, nessa passagem, que nenhum homem pode domar a língua – não sozinho. No versículo 8, Tiago declara que a língua é "incontida." Qualquer coisa incontida será selvagem e incontrolável, sempre querendo fazer sua própria vontade. Uma criança é assim, como também um animal selvagem. Assim também é o apetite. A língua humana não é diferente.

Por isso precisamos da ajuda do Espírito Santo para controlar a língua, mas Deus não fará tudo por nós. Devemos aprender a disciplinar a boca e responsabilizar-nos pelo que sai dela.

Se nossa vida não está adequada, talvez devêssemos fazer um inventário do que falamos.

Como você fala sobre seu futuro? Se não estiver satisfeito com sua vida e quer vê-la mudar, terá de começar a profetizar um futuro melhor para si mesmo e para seus queridos, de acordo com a palavra de Deus.

Você pode mudar as coisas na sua vida cooperando com Deus.

Sem Deus você não pode mudar coisa alguma, mas, em concordância com ele, todas as coisas são possíveis. (Mt 17.20). Sim, você pode começar a mudar as coisas na sua vida se tomar a Palavra de Deus e começar a declará-la.

A maioria de nós não usa a boca para a finalidade concebida por Deus. Há um grande poder e autoridade nas palavras. O tipo de poder depende do tipo de palavra. Podemos amaldiçoar nosso futuro falando mal dele ou podemos abençoá-lo falando bem dele.

Alguns têm aprendido o perigo de falar negativamente, mas Deus quer que avancemos um passo a mais. Ele quer que comecemos a profetizar o que desejamos ver acontecer conosco.

A maioria de nós tem algum tipo de sonho ou visão. Há alguma coisa que queremos da vida – pessoal, financeira, social, espiritualmente – para nossa família, para nosso ministério, para nossa saúde, etc.

Há coisas materiais e espirituais que desejamos – quase sempre é uma mistura de ambos. Queremos crescer espiritualmente e ser usados por Deus e também queremos ser abençoados em nossas circunstâncias materiais.

Houve dias em que desejei coisas que seriam "bênçãos", mas dada a ignorância do assunto tratado neste livro, declarei que provavelmente nunca veria aquelas coisas acontecerem. Falei de acordo com o que tinha experimentado no passado, e com isso amaldiçoei meu futuro com minhas próprias palavras. Estava concordando com o diabo, e não com Deus.

Precisava chamar à existência as coisas que não eram como se fossem. Precisava chamar do reino espiritual o que desejava, mas eu esperava só a manifestação.

Precisava cooperar com o plano de Deus para minha vida, mas *estava enganada!* Estava crendo em mentiras. Isso é o que a decepção é – uma mentira.

Satanás é chamado de enganador porque, como Jesus disse em João 8.44, ele é um mentiroso e pai da mentira e de tudo o que é falso. Ele se esforça para nos atrapalhar e usa isso para nos influenciar a profetizar aquele mesmo tipo de problema no futuro.

Abençoe-Se a Si Mesmo!

... aquele que se abençoar na terra, pelo Deus da verdade é que se abençoará; e aquele que jurar na terra, pelo Deus da verdade é que jurará; porque já estão esquecidas as angústias passadas e estão escondidas dos meus olhos.

Pois eis que eu crio novos céus e nova terra; e não haverá lembrança das coisas passadas, jamais haverá memória delas.

Mas vós folgareis e exultareis perpetuamente no que eu crio; porque eis que crio para Jerusalém alegria e para o seu povo, regozijo.

Is 65.16-18

Nessa passagem, na qual o Senhor fala ao seu povo, Israel, vemos um princípio duplo que pode ser considerado em cada área em que desejamos vitória:1) *Nenhuma palavra tem tanta autoridade como a que nós pronunciamos* e 2) *nosso futuro não pode ser abençoado até deixarmos o passado para trás.*

Em Isaías 43.18-19, o Senhor propõe este mesmo princípio:

Não vos lembreis [seriamente] *das coisas passadas, nem considereis as antigas.*

Eis que faço coisa nova, que está saindo à luz; porventura, não o percebeis? Eis que porei um caminho no deserto e rios, no ermo.

Uma consideração cuidadosa dessas passagens me leva a crer que podemos cooperar com o plano de Deus, pois ele diz no último versículo: "Porventura não o percebeis"?

Podemos liberar o plano de Deus não mais considerando (pensando sobre) as coisas velhas, mas crendo que Deus tem um bom plano para nosso futuro. Se o que pensamos sai da boca, não conseguiremos domá-la se não fizermos alguma coisa sobre nossos pensamentos.

Creio que, se pararmos de viver mentalmente no passado, começaremos a pensar e a falar de acordo com Deus. Fazendo assim, estaremos, na verdade, profetizando nosso próprio futuro.

Poder Requer Responsabilidade

> Digo-vos que de toda palavra frívola (inoperante, inútil) que proferirem os homens, dela darão conta no Dia do Juízo.
>
> Mt 12.36

Jesus ensinou que um dia os homens terão de prestar contas por suas palavras. Por quê? Porque as palavras contêm poder; elas carregam o poder criativo ou destrutivo.

Provérbios 18:21 declara que o poder da vida e da morte está na língua. Isso soa como poder para mim. A qualquer momento em que nos é dado o poder, deve também haver responsabilidade.

Geralmente as pessoas querem o poder para brincar, não para ser responsável por ele, mas Deus não permitirá isso.

Deus nos deu as palavras e espera que sejamos responsáveis pelo poder que elas liberam.

As Palavras Têm Poder!

Se realmente crêssemos que as palavras têm poder e que Deus nos responsabiliza por elas, tenho certeza de que seríamos mais cuidadosos com o que dizemos.

Às vezes, falamos coisas totalmente ridículas. Se colocássemos um gravador no cinto e o levássemos a todo lugar durante uma semana, compreenderíamos por que algumas coisas nunca mudam, embora seja da vontade de Deus que nos livremos delas.

Tenho certeza de que naquela gravação ouviríamos dúvidas, descrenças, murmuração, resmungos, medo e muitas declarações negativas. Também saberíamos por que isso está acontecendo conosco e não ouviríamos nada a respeito do nosso futuro glorioso. Poderíamos ouvir declarações como estas: "Meu filho nunca vai mudar. Posso esquecer – quanto mais eu oro, pior ele fica."

"Este casamento simplesmente não funciona. Não agüento mais. Vou embora se mais alguma coisa acontecer. Se necessário, vou me divorciar."

"É sempre assim. Toda vez que consigo algum dinheiro, algum desastre acontece e leva tudo embora."

"Não consigo ouvir a Deus; ele nunca fala comigo."

"Ninguém me ama. Parece que estou condenada a ficar sozinha minha vida inteira."

Só que, ao mesmo tempo em que fazemos tais declarações negativas, também afirmamos que cremos em nossos filhos, em nosso casamento e em nossas finanças, que acreditamos ser guiados pelo Espírito e que encontraremos nossa outra metade.

Aqui está um exemplo de minha própria vida, das coisas ridículas que disse sob pressão.

Uma noite, eu estava em casa procurando alguma coisa, mas não conseguia encontrá-la. Vários membros de minha família estavam pedindo minha ajuda ao mesmo tempo para coisas diferentes que estavam fazendo. Senti a pressão aumentando, e sabemos que, quando a pressão se acumula, botamos a boca no trombone.

Profetize Seu Futuro

Em minha frustração, deixei escapar: "Este lugar me deixa louca! Nunca consigo achar nada aqui!"

Imediatamente, Deus chamou-me atenção para as minhas palavras. Ele me levou a analisar o que eu tinha acabado de falar. Primeiro, tinha mentido, ele me disse, porque posso e encontro tudo o que procuro em minha casa o tempo todo; só porque não consegui achar alguma coisa na hora, não significa que nunca encontre as coisas.

Temos uma grande tendência em exagerar demasiadamente quando nos sentimos pressionados. Aumentamos as coisas exagerando sua proporção e fazendo-as parecer muito pior do que realmente são. As palavras descuidadas pronunciadas no calor do momento podem não significar muito para nós, mas definitivamente elas pesam no reino espiritual.

O Senhor disse depois: "Joyce, não é apenas uma mentira que você nunca encontra nada, e também não é verdade que está louca! Sua casa *não* deixa você louca, mas, se continuar falando assim, isto pode acontecer".

Se houver um caso de doença mental na família, o inimigo adoraria abrir uma porta para continuar a maldição por meio das palavras declaradas.

Se você observar, muitas pessoas fazem declarações negativas sobre sua capacidade e condição mental:

"Isso sumiu da minha memória."
"Parece que estou perdendo a cabeça."
"Às vezes parece que vou ficar louca."
"Minha cabeça não funciona direito."
"Esqueço as coisas o tempo todo."
"Não consigo me lembrar de nada; devo estar com a doença de Alzheimer."
"Se isso continuar, sei que vou ter um ataque de nervos."
"Sou tão burra, tão ignorante, tão estúpida"!

Apenas ouça as outras pessoas e a você mesmo, e logo compreenderá o que quero dizer.

Um dia, meu marido Dave e eu jogávamos golfe com um homem que deve ter se chamado de "idiota" uma dúzia de vezes no espaço de quatro horas. Eu pensei: "Se você tivesse idéia do quanto está amaldiçoando sua própria vida, pararia de falar assim imediatamente".

Se você sente que está com problemas, ore e profetize coisas boas sobre sua capacidade mental, e assim seu futuro pode ser diferente.

O que a maioria de nós tem feito com relação ao passado é orar e depois negar nossas próprias orações com uma confissão negativa.

Fale Vida, não Morte!

> O espírito é o que vivifica [ele é o doador da vida]; a carne para nada aproveita [não há nenhum proveito nela]; as palavras (verdades) que eu vos tenho dito são espírito e são vida.
>
> Jo 6.63

Quando sugiro que profetize seu futuro, não se trata de declarar às pessoas o que você vai fazer ou ter. Vai chegar o tempo para isso, mas não é agora. Refiro-me a profetizar primeiro para *si mesmo:* enquanto se dirige para o trabalho, limpa a casa, trabalha no quintal, mexe no carro ou faz sua rotina diária.

Fale palavras cheias de fé, crendo. Como Jesus disse, as palavras que você fala são espírito e vida.

Fale vida, não morte.

Ao entrar num restaurante lotado, você diz: "Não vou conseguir uma mesa e, se conseguir, será uma ruim e com um serviço precário"? Ou você diz: "Acho que tenho um tratamento especial neste restaurante e vamos conseguir uma boa mesa e um serviço excelente"?

Você pode perguntar: "Joyce, isto realmente funciona com você"?

Honestamente, não posso dizer que isso *sempre* funciona comigo, mas prefiro ser positiva e ter 50% de bons resultados do que ser negativa e ter 100% de resultado ruins.

Um benefício adicional é que, quando sou positiva, sou mais feliz e as pessoas gostam mais de estar perto de mim.

Gaste apenas 30 segundos por dia para declarar que você tem o favor de Deus por onde quer que você vá; os resultados podem surpreender você.

Lembro-me de ter ido a uma loja certa vez e ter visto alguns casacos. Muitos deles estavam com 50% de desconto. Encontrei um de que realmente gostei, mas estava sem a etiqueta de liquidação. Perguntei à vendedora se o casaco estava em liquidação e ela respondeu: "Não, não está". Então, ela olhou para mim e disse: "Mas se o quiser pela metade do preço, deixarei você levá-lo. Não faria isso por mais ninguém, mas farei por você". Eu não conhecia aquela mulher e nem ela me conhecia; não havia nenhuma razão "terrena" para ela fazer o que fez.

Agrada a Deus favorecer seus filhos. O que ele fez por mim fará por você também. Alinhe sua boca com a Palavra de Deus e prepare-se para ser abençoado. Lembre-se sempre de louvá-lo e agradecer-lhe.

Deus é bom. Várias vezes ao dia deveríamos dizer-lhe que temos consciência disso.

Uma Dor no Pé

Uma tarde estava estudando na cama quando, de repente, senti uma dor no pé. Tenho um joanete e dói de vez em quando. Quando comecei a sentir dor, eu disse: "Repreendo esta dor, no nome de Jesus. Por suas chagas eu sou curada. Pelo poder de seu sangue eu sou curada e liberta." Imediatamente veio outra dor. Novamente eu disse, "Em nome de Jesus, eu sou curada e liberta".

Parecia um duelo. Eu dizia alguma coisa positiva da Palavra de Deus e a dor vinha novamente. Pensei: "Não me importo se tiver que ficar deitada aqui o dia inteiro, mas eu vou vencer".

Falei em voz alta: "Eu sou curada pelas chagas de Jesus. Essa dor tem de sair".

Continuei deitada na cama e, toda vez que a dor me atacava, eu atacava o diabo com a Palavra de Deus. Logo depois, a dor passou e não me incomodou mais pelo resto do dia.

Vigiar e Orar

> Vigiai e orai... (fiquem atentos, sejam cautelosos e ativos)
> Mt 26.41

Às vezes, somos culpados por não sermos mais persistentes ou por "agüentar as imundícies do inimigo". Às vezes, ficamos espiritualmente preguiçosos. No entanto, devemos ficar atentos e despertos.

A advertência de Jesus aos seus discípulos, "vigiar e orar," devia ser aplicada primeiro em nossa vida.

Vigie os ataques do inimigo e ore imediatamente.

Vá contra Satanás quando ele estiver tentando tocar o seu ponto fraco, e ele nunca terá uma fortaleza em sua vida.

Vida na Palavra

O Senhor me disse uma vez: "Até que meu povo aprenda a usar a minha Palavra como uma arma contra o inimigo e como profetizar seu futuro, pode esquecer de ter muito poder".

Há mistura demais em nossa boca e isso nos faz agir com força zero.

Misturar positivos e negativos não iguala o poder na matemática de Deus.

A Palavra de Deus que sai da boca do crente é uma espada afiada contra o inimigo. Em Apocalipse 19.11-15, Jesus está montado num cavalo branco com uma espada afiada saindo de sua boca. Essa espada afiada é a Palavra de Deus.

Em Hebreus 4.12 lemos que ... *a palavra de Deus é viva e eficaz [tornando-a ativa, operante, energizante e efetiva] e mais cortante do que qualquer espada de dois gumes ...*

2 Coríntios 10:4 ensina que ... *as armas da nossa milícia não são carnais [armas de carne ou sangue]...* Uma vez que as armas não são naturais, devem ser armas espirituais. A Palavra de Deus se manifesta no reino espiritual. É uma arma espiritual (invisível) que derrota um inimigo espiritual (invisível).

Podemos não ver o diabo, mas certamente podemos ver as suas obras. Posso testemunhar que sofri seus ataques durante toda minha vida. Comecei a aplicar esses princípios que estou compartilhando com você e logo vi os efeitos da Palavra de Deus em minha vida.

A vida conquista a morte.

Há "Vida na Palavra."

Declarando o Fim desde o Princípio

> Lembrai-vos [seriamente] das coisas passadas [que fiz] da antigüidade: que eu sou Deus, e não há outro, eu sou Deus, e não há outro semelhante a mim;
> que desde o princípio anuncio o que há de acontecer e desde a antigüidade, as coisas que ainda não sucederam; que digo: o meu conselho permanecerá de pé, farei toda a minha vontade.
> Is 46. 9-10

Eu e Minha Boca Grande

Nessa passagem o Senhor diz: "Eu sou o mesmo Deus que te ajudou no passado e eu anuncio no princípio como ficará no fim". O Senhor é o Alfa e o Ômega, o Princípio e o Fim (Ap 1.8). Ele também é o meio. Ele sabe que podemos ser vitoriosos, antes mesmo de o problema acontecer, se guerrearmos à sua maneira. E a maneira de Deus não é negativa.

Romanos 8.37 diz que somos "mais que vencedores." Isso significa que podemos saber, antes mesmo de a batalha começar, que venceremos. Em outras palavras, podemos ver o fim no princípio.

Profetizar nosso futuro é literalmente declarar no início o que acontecerá no fim.

Declare e Faça!

As primeiras coisas [que aconteceram na época de Israel], desde a antigüidade, as anunciei; sim, pronunciou-as a minha boca, e eu as fiz ouvir; de repente agi, e elas se cumpriram [diz o Senhor].

Is 48.3

Observe o princípio básico do método de operação de Deus: primeiro ele declara, depois ele age.

Esse princípio explica por que Deus enviou os profetas. Eles vieram falar ao mundo as palavras inspiradas, e as instruções de Deus trouxeram a sua vontade do reino espiritual para o reino natural. Jesus não veio ao mundo antes que os profetas tivessem falado sobre ele durante centenas de anos. Deus opera nas leis espirituais que ele mesmo estabeleceu, e não podemos ignorá-las.

Plantar e colher são leis espirituais que vemos manifestar-se no mundo, mas também acontecem no reino espiritual. Semeamos sementes materiais e colhemos bênçãos materiais de todos os tipos.

As palavras também são sementes. Semeamos palavras e colhemos de acordo com o que semeamos.

Deus desejava que o povo teimoso de Israel soubesse que era ele quem fazia as grandes obras na vida deles, por isso as anunciou antecipadamente. Fomos criados à sua imagem, por isso devemos seguir o seu exemplo e fazer o que ele faz.

Profetize e Lucre!

> Por isso, to anunciei desde aquele tempo e to dei a conhecer antes que acontecesse, para que não dissesses: O meu ídolo fez estas coisas; ou: A minha imagem de escultura e a fundição as ordenaram.
>
> Já o tens ouvido [as coisas preditas]; olha para tudo isto; porventura, não o admites? Desde agora te faço ouvir coisas novas e ocultas [mantidas reservadas], que não conhecias.
>
> Apareceram agora [foram chamadas à existência pela palavra profética] e não há muito, e antes deste dia delas não ouviste, para que não digas: Eis que já o sabia.
>
> Is 48.5-7

Por favor, observe que o Senhor disse que as coisas que desejava fazer foram proclamadas, no início, pela Palavra profética.

Isso é o que temos de fazer, falar e declarar a palavra de Deus – *antes que aconteça*.

"Mas eu não sou profeta"! – você pode dizer.

Você não tem de se "posicionar como profeta" para profetizar. Pode profetizar (falar a palavra de Deus) sobre sua própria vida a qualquer hora.

Eu e Minha Boca Grande

Declare Coisas Novas em Sua Vida!

Eis que as primeiras predições já se cumpriram, e novas coisas eu vos anuncio; e, antes que sucedam, eu vo-las farei ouvir.

Is 42.9

Nesse versículo de confirmação no qual Deus fala com seu povo Israel, vemos que o Senhor declara coisas novas antes que aconteçam.

Se você é como eu, tenho certeza de que espera alguma coisa nova em sua vida. Você precisa de algumas mudanças, e ler este livro é da vontade e está no tempo de Deus para você.

Embora conheça esses princípios, eu também preciso ser lembrada deles de vez em quando. Às vezes, temos de ser "sacudidos" nas coisas que já sabemos. Isso nos encoraja a começar a agir novamente nos princípios poderosos que deixamos escapar.

Se você está cansado das coisas velhas, pare de falar delas. Você quer algo novo? Comece a falar coisas novas. Gaste tempo com Deus. Separe um tempo especial para estudar sua Palavra. Descubra qual é a vontade dele para sua vida. Não deixe mais o diabo mandar em você.

Não seja o porta-voz do diabo.

Descubra o que a Palavra de Deus lhe promete e comece a declarar o fim no início. Em vez de dizer "nada vai mudar", diga "mudanças acontecerão em minha vida e circunstâncias todos os dias."

Ouvi a história de um médico não crente que descobriu o poder do princípio bíblico que estou compartilhando com você. Sua receita para os pacientes era ir para casa e repetir diariamente: "Eu estou melhorando a cada dia". O médico obteve resultados tão maravilhosos que as pessoas viajavam de todas as partes do mundo para se beneficiarem de seus serviços.

Incrível! Deus falou primeiro e um homem levou a fama.

Faça à Maneira de Deus!

Jesus disse: *Eu sou o caminho, sigam-me.* (Jo 14.6; 12.26.) Nós nunca vemos Jesus ser negativo ou falar negativamente. Você e eu deveríamos seguir seu exemplo.

Declare a sua situação, o que crê que Jesus diria e você abrirá a porta para o poder operador do milagre de Deus.

> Assim será a palavra que sair da minha boca: não voltará para mim vazia [sem produzir nenhum efeito, inútil], mas fará o que me apraz e prosperará naquilo para que a designei.
>
> Is 55.11

Capítulo 5
Tornando-se Porta-Voz de Deus

Os profetas eram porta-vozes de Deus. Eram chamados para falar a Palavra de Deus ao povo – situações, cidades, ossos secos, montanhas ou qualquer coisa que Deus ordenasse. Para cumprir o chamado de Deus, tinham de se submeter ao Senhor. A boca dos profetas tinha que ser de Deus.

Aqueles que desejam ser usados por Deus, precisam permitir que ele lide com a sua boca e o que ela profere. Quase sempre, os que têm dons "verbais" também têm alguma fraqueza gritante na área da boca.

Eu falo por experiência própria.

Fale somente quando Deus Falar por intermédio de Você

> Tendo, porém, diferentes dons (faculdades, talentos, qualidades) segundo a graça que nos foi dada: se [aquele cujo dom é] profecia, seja [deixe-o profetizar] segundo a proporção da fé;
>
> Rm 12.6

Como ministra do evangelho sou uma porta-voz no corpo de Cristo. Tenho o privilégio tremendo de ensinar a Palavra de Deus por todo o mundo. Eu ensino muito.

Em Romanos 12.6 e 7 o apóstolo Paulo escreveu em essência: "Se você é chamado para ensinar, entregue-se a fazê-lo". É o que tenho feito há muitos anos. Creio que Deus me disse que em tudo o que fizesse eu deveria, de alguma forma, fazer uso do dom de ensino que ele me deu.

Apesar do nosso ministério específico no Corpo de Cristo, cada um de nós é um porta-voz de Deus de alguma forma. Tanto faz se foi dado a você e a mim o dom de ensinar mundialmente ou a habilidade de testemunhar para nossos colegas, Deus quer usar a nossa boca.

Um sábio me disse certa vez: "Joyce, Deus tem dado a você o ouvido de muitos. Seja sensível e fale somente quando Deus falar por intermédio de você."

Se você é um mestre da Palavra de Deus, aconselho-a a fazer o mesmo. Aprenda a falar somente quando Deus falar por intermédio de você. Obviamente, isso requer treinamento intensivo do Espírito Santo.

Se desejarmos que as palavras carreguem o poder de Deus, então nossa boca deve pertencer a ele.

Sua boca é a boca de Deus? Você realmente a entregou para o propósito de Deus?

O coração de uma pessoa pode ficar endurecido por justificar seu comportamento.

Durante muito tempo, arrumei desculpas para os "problemas da minha língua" colocando a culpa na minha personalidade, nos abusos do passado, no fato de me sentir mal ou estar cansada demais.

Na verdade, a lista de desculpas quando falhamos em conformar-nos com a vontade e a Palavra de Deus é infinita.

Finalmente, o Espírito Santo conseguiu minha atenção total para que eu começasse a me responsabilizar por minhas palavras. Sei que ainda tenho um longo caminho pela frente, mas sinto que tenho progredido muito, porque alcancei o nível do verdadeiro arrependimento.

A Responsabilidade de Ser um Mestre

> Meus irmãos, não vos torneis, muitos de vós, mestres (autointitulados censores e reprovadores dos outros), sabendo que havemos [os mestres] de receber maior juízo [uma responsabilidade maior e maior condenação].
> Porque todos tropeçamos em muitas coisas. Se alguém não tropeça no falar [nunca diz a coisa errada], é perfeito varão, capaz de refrear também todo o corpo.
>
> Tg 3.1-2

Sabemos que Deus lida com todos, mas creio que há uma diretriz rígida para aqueles que são mestres da Palavra.

Espera-se que os líderes mostrem um grau de maturidade e domínio próprio que sirvam de exemplo aos os que estiverem sob suas lideranças. Eles devem seguir a Cristo e mostrar "o caminho" com sua vida, respaldados pela Palavra de Deus.

Em 1 Timóteo 3.2, o apóstolo Paulo escreveu que os líderes espirituais devem ter domínio próprio. Estou certa de que uma das áreas em que eles têm que exercer esse fruto do Espírito é a língua.

Aqueles que são treinados para ser porta-vozes de Deus freqüentemente serão usados para trazer encorajamento, consolo e edificação aos outros. Há tempo para correção e repreensão, mas também há tempo para falar "uma palavra temperada" ao cansado.

Trazendo Conforto

> O homem se alegra em dar resposta adequada, e a palavra, a seu tempo, quão boa é!
>
> Pv 15.23

> Como maçãs de ouro em salvas de prata, assim é a palavra dita a seu tempo.
>
> Pv 25.11
>
> [O Servo do Senhor diz] O SENHOR Deus me deu língua de eruditos, para que eu saiba dizer boa palavra ao cansado. Ele me desperta todas as manhãs, desperta-me o ouvido para que eu ouça como os eruditos [como um que é ensinado].
>
> Is 50.4

Essas três passagens merecem meditação. São realmente incríveis. Que bênção tremenda é ser usada por Deus para animar os outros! Podemos abençoar as pessoas com as palavras de nossa boca. Podemos falar vida para elas. O poder da vida e da morte está na língua. (Pv 18.21.) Podemos escolher falar vida. Quando edificamos ou exortamos, estamos impulsionando-as. Pense nisso: podemos impedi-las ou impulsioná-las apenas com nossas palavras.

Os pais deveriam ser mais cuidadosos no modo de tratar os filhos. Ser pai é uma responsabilidade incrível. Deus confere autoridade ao papel de pais. Como pais, os casais têm autoridade sobre a vida de seus filhos até que eles tenham maturidade para levar a própria vida. Por causa dessa autoridade, as palavras dos pais têm o poder de encorajar ou desencorajar uma criança. As palavras dos pais podem curar ou ferir.

Quando uma criança foi ferida emocionalmente por um professor ou por outra criança, os pais podem ser usados por Deus para ajudá-la a se recuperar rapidamente e restaurar a sua confiança. No entanto, palavras duras ou palavras sem entendimento podem aprofundar ainda mais a ferida.

Quando as crianças cometem erros, o que ocorrerá milhares de vezes, os pais precisam saber como "ensiná-las" (Pv 22.6.), como *criá-las na disciplina e na admoestação do Senhor* (Ef 6.4).

É muito importante que os pais não façam uma criança se sentir estúpida, desajeitada ou inadequada. Isso pode acontecer, se não forem sábios com as palavras. As crianças são frágeis e mais sensíveis nos primeiros anos de vida. Nesse período, é fundamental que os pais ajudem os filhos a se sentirem seguros e amados.

Hoje, muitos pais têm problemas e pressões tremendas e quase não encontram tempo para ministrar a seus filhos sobre seus desafios. Há uma tendência de se pensar: "Isso é coisa de criança, eu tenho problemas reais para tratar".

Se você tem filhos e eles forem feridos, lembre-se de lhes dizer "uma palavra temperada," uma palavra que irá curá-los e encorajá-los.

O Dom de Exortação

> Consolai-vos (admoestai-vos, exortai-vos), pois, uns aos outros e edificai-vos (fortalecei-vos) reciprocamente, como também estais fazendo.
>
> 1 Ts 5.11

O "dom de exortação" está em Romanos 12.8. Ele é um dos dons ministeriais conferidos pelo Espírito Santo a certos indivíduos.

Em João 14.26, o Espírito Santo é chamado de "Consolador". Ele exorta as pessoas em seu crescimento com Deus, encorajando-as a ser tudo o que elas podem ser, para a glória de Deus. Como um Consolador e um Exortador, ele unge outros para esse ministério.

Você e eu devemos compreender que *exortação é um ministério* – um ministério muito necessário. Há sempre muitas pessoas na Igreja que estão prontas a desistir a qualquer momento se alguma coisa não acontecer para encorajá-las. Como exortador, podemos realmente evitar que alguém retroceda ou desista.

O Espírito Santo também é chamado de "Consolador." Exortadores trazem conforto. Eles fazem as pessoas se sentirem melhores – com elas mesmas, com suas circunstâncias, com o passado, com o presente, com o futuro e com tudo mais que se refere a elas.

Como vemos em 1 Tessalonicenses 5.11, o apóstolo Paulo instruiu os primeiros cristãos a continuar consolando uns aos outros.

Qualquer pessoa que deseja ser um porta-voz de Deus deve ser ou se tornar um exortador.

Algumas pessoas são muito ungidas nessa área; conheço vários indivíduos que são exortadores naturais. Tudo o que lhes sai da boca é algo que conforta as pessoas.

Meu dom ministerial não é exortação, mas tenho aprendido a sua importância e sempre tento me lembrar de que as pessoas estão feridas e precisam ser encorajadas.

Cuidado com as Palavras Torpes

> Não saia [jamais] da vossa boca nenhuma palavra torpe, e sim unicamente [discurso] a que for boa para edificação, conforme a necessidade, e, assim, transmita graça (favor de Deus) aos que ouvem.
>
> Ef 4.29

Algumas pessoas crêem que são chamadas para corrigir todo mundo. Deus concede dons que trazem correção. O apóstolo Paulo tinha um forte dom nessa área. Ele disse que corrigia as pessoas pela graça que lhe foi dada. (Rm 12.3)

No entanto, pessoas que somente querem corrigir e nunca edificam, constroem ou consolam estão sem equilíbrio. Qualquer coisa sem equilíbrio desmorona.

Deus deseja tocar a língua de mais pessoas e fazer delas seu porta-voz. Há muito a ser dito e há muitos que precisam ouvir. Encorajo você a permitir que Deus trate dessa área muito importante que, de acordo com Isaías, sem o poder de limpeza de Deus somos pessoas de lábios impuros (Is 6.5).

> Respondeu-lhes Jesus: Não murmureis entre vós.
> Jo 6.43

Capítulo 6
Murmure e não Saia do Lugar, Louve e Seja Exaltado

Murmuração é pecado! É uma forma corrupta de conversação que causa muitos problemas na vida das pessoas. Também abre muitas portas para o inimigo.

Lembre-se: nós declaramos que as palavras têm poder. Palavras de reclamação e murmuração carregam um poder destrutivo. Elas destroem a alegria daquele que murmura e também pode afetar as pessoas que as ouvem.

Em Efésios 4.29, o apóstolo Paulo nos instruiu a não usar nenhuma palavra torpe. Antes, eu não sabia que isso incluía murmuração, mas agora aprendi que sim.

Murmuração e reclamação poluem nossa vida e provavelmente soa como maldição para o Senhor. Para ele isso é poluição verbal.

Poluir é envenenar.

Já parou para pensar que você e eu podemos envenenar nosso futuro ao murmurar sobre o que está acontecendo agora? Quando reclamamos sobre nossa situação, permanecemos nela; quando louvamos a Deus no meio da dificuldade, ele nos liberta delas.

A melhor maneira de começar o dia é com gratidão e ações de graça. Dê uma rasteira no diabo. Se você não encher os seus pensamentos e conversas com coisas boas, ele definitivamente os encherá com coisas ruins.

Pessoas verdadeiramente agradecidas não murmuram. Estão tão ocupadas sendo gratas pelas coisas boas que fazem que não têm tempo de notar as coisas sobre as quais poderiam murmurar. O mundo está cheio de duas forças: a boa e a má. A Bíblia nos ensina que o bem vence o mal (Rm 12.21) e que devemos escolher o bem. Se estivermos numa situação negativa (má), poderemos vencê-la com o bem.

O louvor e as ações de graças são forças boas; a murmuração e a reclamação são forças más.

A Língua Pode Trazer Saúde ou Doença

> O ânimo sereno é a vida do corpo, mas a inveja é a podridão dos ossos.
>
> Pv 14.30

Além de envenenar o futuro, a murmuração e a queixa também podem envenenar o presente. Uma pessoa que murmura e se queixa pode ficar muito doente. Palavras podem afetar o corpo físico. Elas podem trazer cura ou podem abrir a porta para doença.

Doença traz doença!

Murmure e não Saia do Lugar, Louve e Seja Exaltado

De acordo com Provérbios 15.4, a língua tem o poder de curar: *A língua serena [com seu poder de cura] é árvore de vida, mas a perversa quebranta o espírito.*

Pense nisto: uma pessoa que tem uma mente calma e tranqüila tem saúde para o corpo; mas, como vimos em Provérbios 14.30, a "língua perversa" cheia de inveja, ciúme e ira pode, na verdade, destruir o corpo físico. Ira é raiva e a maioria das pessoas que murmura está com raiva de alguma coisa. Por isso, podemos afirmar que as pessoas que se queixam, murmuram e reclamam não têm a mente calma e tranqüila.

O louvor e ações de graça liberam energia e cura física. Houve muitos momentos em minha vida em que me senti mal ou fisicamente doente, mas, ao louvar a Deus na Igreja ou em casa, experimentei uma libertação de todos os sintomas negativos. A mesma coisa provavelmente já aconteceu com você.

Creio que uma pessoa deveria se sentir ótima pela manhã, depois de uma boa noite de sono. Mas notei que, em momentos de desgaste físico, sinto-me pior pela manhã. Disciplinar-me a passar um tempo de qualidade com o Senhor de manhã, incluindo tempo de louvor e ações de graças, tem sido maravilhoso para mim, fisicamente.

Murmuração e Reclamação Abrem a Porta para a Destruição

> Não ponhamos o Senhor à prova [testar sua paciência, tornar-se uma prova para ele, fazer uma avaliação crítica dele e explorar sua bondade] como alguns deles já fizeram e pereceram pelas mordeduras das serpentes.
> Nem murmureis, como alguns deles murmuraram e foram destruídos pelo exterminador (morte).

Estas coisas lhes sobrevieram como exemplos [e avisos para nós] e foram escritas para advertência nossa, de nós outros sobre quem os fins (consumação e conclusão) dos séculos têm chegado.

1 Co 10.9-11

Quando murmuramos, Deus leva isso para o lado pessoal. Ele considera que estamos abusando da sua bondade. Deus é bom e quer nos ouvir falando da sua bondade. Quando murmuramos, nos queixamos ou reclamamos, estamos fazendo uma crítica ao Deus que servimos.

Ao murmurar, os israelitas abusaram da bondade de Deus, por isso foram destruídos. Isso está registrado no Antigo Testamento e confirmado no Novo Testamento, para que nos sirva de lição, a Bíblia diz. Em outras palavras, para que possamos ver o erro que cometeram e não voltemos a repeti-lo. Eles murmuraram e enfrentaram a morte e a destruição. Deveríamos ser mais cautelosos com esses exemplos para não segui-los.

Louvor e Ação de Graças Abrem a Porta para a Vida

O que guarda a boca e a língua guarda a sua alma das angústias.

Pv 21.23

O que guarda a boca conserva a sua alma, mas o que muito abre os lábios a si mesmo se arruina.

Pv 13.3

Esses versículos comprovam que a pessoa que guarda a boca protege a alma, mas quem não guarda a boca pode trazer destruição à sua vida.

Quando os israelitas foram para o deserto, um dos problemas com que Deus teve de lidar repetidamente foi a murmuração. Era uma viagem de onze dias do

Murmure e não Saia do Lugar, Louve e Seja Exaltado

Egito à Terra Prometida (Dt 1.2), mas depois de quarenta anos eles ainda vagavam no deserto da morte e da destruição.

Jesus, no entanto, entrou no deserto de sua aflição com uma atitude louvável. Ele continuou a louvar a Deus, independentemente da circunstância, recusando-se a murmurar, e como resultado Deus o ressuscitou da morte para a nova vida.

Isso deveria ser uma lição para nós. Deveríamos nos guardar da tentação de murmurar e nos queixar e, propositadamente, *escolher* oferecer sacrifício de louvor e ações de graças. (Hb 13.15.)

Podemos escolher murmurar e não sair do lugar ou louvar e ser exaltados.

O Poder da Ação de Graças

> Não andeis ansiosos de coisa alguma; em tudo, porém, sejam conhecidas, diante de Deus, as vossas petições, pela oração e pela súplica (pedidos específicos), com ações de graças.
>
> Fp 4.6

A Palavra de Deus tem muito a dizer sobre ações de graças e pessoalmente creio que isto é o antídoto para o veneno da murmuração. Provavelmente deveria enfatizar que eu creio que a murmuração é o problema principal entre os crentes. Isto tem se tornado tão sério que às vezes pedimos a Deus alguma coisa e quando ele responde nossas orações nos queixamos de ter que cuidar da coisa que pedimos a ele. Devemos tratar da tentação de murmurar como uma praga, porque ela tem efeito semelhante em nossa vida. A murmuração enfraquece enquanto as ações de graças liberam poder – poder para trazer respostas às nossas orações.

Em Filipenses 4.6, o apóstolo Paulo diz que as ações de graças põem nossas petições em linha com a aprovação de Deus.

Lembro-me de que uma vez pedi a Deus alguma coisa e ele disse: "Por que eu deveria lhe dar mais? Você já se queixa do que tem".

Ser grato é prova de maturidade. Demonstra que estamos maduros espiritualmente para lidar com qualquer tipo de promoção ou aumento. Ser grato também pode ser um sacrifício. Se não somos gratos ou se nossas circunstâncias não ditam isso, as ações de graças podem se tornar uma oferta sacrificial feita pela fé, em obediência, porque amamos ao Senhor e queremos honrar sua Palavra.

Ações de Graças como Sacrifício

Oferece a Deus sacrifício de ações de graças e cumpre os teus votos para com o Altíssimo.

Sl 50.14

Rendam graças [e confessem] ao SENHOR por sua bondade e por suas maravilhas para com os filhos dos homens! Ofereçam sacrifícios de ações de graças e proclamem com júbilo as suas obras!

Sl 107.21-22

Oferecer-te-ei sacrifícios de ações de graças e invocarei o nome do SENHOR.

Sl 116.17

Observe que no Salmo 116.17 o salmista disse que invocaria o nome do Senhor, mas somente depois que tivesse oferecido sacrifícios de ações de graças.

Sei que muitas vezes clamei pelo poder do nome de Jesus em alguma situação extrema, enquanto a minha própria vida estava cheia de murmuração.

Não há poder positivo na murmuração. Ela está cheia de poder, mas é um poder negativo (mau).

Para que o poder de Deus seja liberado, devemos parar de murmurar.

Louve e Agradeça o Tempo Todo

Por meio de Jesus, pois, ofereçamos a Deus, sempre, sacrifício de louvor, que é o fruto de lábios que confessam o seu nome.

Hb 13.15

Não devíamos louvar e oferecer ações de graças apenas quando há razão para fazê-lo. É fácil agradecer e louvar quando temos uma razão para isso, mas isso não é sacrifício.

Deveríamos, espontaneamente, oferecer louvor e ações de graças o tempo todo, deveríamos agradecer a Deus por todas as suas bênçãos e pelo favor que ele tem nos concedido. Se fizéssemos uma lista de bênçãos, perceberíamos claramente como é bom ser tão abençoados. Muitas vezes não damos valor a tudo o que temos porque temos em abundância, enquanto pessoas de outros países se considerariam ricos se as tivessem.

Água limpa e fresca é um exemplo. Na Índia e em muitas outras partes do mundo, a água é um produto que não é fácil de se encontrar. Algumas pessoas têm de andar quilômetros para conseguir o suficiente para apenas um dia, ao passo que nós temos água suficiente para tomar banho, cozinhar, lavar a louça, nadar, etc. Podemos tê-la quente ou fria, da forma que quisermos, tanto quanto desejarmos. Há momentos em que enquanto tomo uma ducha quente, principalmente quando me sinto cansada, paro para agradecer a Deus pela água quente.

Eu e Minha Boca Grande

Há muitas coisas pelas quais agradecer se decidirmos ser uma pessoa que oferece ações de graças continuamente. A carne procura razões pelas quais reclamar, mas o espírito busca razões para glorificar a Deus.

Em Filipenses 2.14, o apóstolo Paulo nos alerta: *Fazei tudo sem murmurações [contra Deus] nem contendas [entre vós].*

Em 1 Tessalonicenses 5.18, ele nos exorta, *Em tudo, [não importa quais circunstâncias] dai graças, [a Deus] porque esta é a vontade de Deus em Cristo Jesus [o Revelador e Mediador] para convosco [que estais em Cristo Jesus].*

Finalmente, em Efésios 5.20, ele escreve que deveríamos *dar sempre graças por tudo a nosso Deus e Pai, em nome do nosso Senhor Jesus Cristo.*

Por esses versículos, vemos que não só devemos evitar nos queixar, praguejar, achar falhas nas pessoas, murmurar, questionar e duvidar, como também dar graças "o tempo todo," "em qualquer circunstância," "por tudo." Isso não significa que temos de agradecer a Deus por *todas* as coisas negativas que nos acontecem, mas agradecer-lhe *nelas.*

O Senhor é grandemente honrado quando nos recusamos a murmurar numa situação na qual naturalmente o faríamos.

Ande uma milha a mais e recuse-se a murmurar; pelo contrário, escolha ser grato no meio de suas circunstâncias.

Lembre-se: você terá de agir assim "de propósito", mas nem sempre você vai querer fazer isso. Mas pode liberar poder em sua vida se o fizer.

A vida de louvor é vida de poder!

Não Entristeçais o Espírito Santo

E não entristeçais o Espírito de Deu [não o ofendais] no qual fostes selados (marcados, carimbados como propriedade de Deus, firmados) para o dia da redenção (libertação final do mal e conseqüências do pecado, através de Cristo).

Ef 4.30

Murmure e não Saia do Lugar, Louve e Seja Exaltado

Eu ouvi esse versículo durante muito tempo até entender que entristecer o Espírito Santo está ligado à língua. Para entender corretamente esse versículo, devemos lê-lo no contexto, com alguns dos versículos anteriores e seguintes:

> Não saia [jamais] da vossa boca nenhuma palavra torpe, e sim unicamente a que for boa para edificação, conforme a necessidade, e, assim, transmita graça (favor de Deus) aos que ouvem.
>
> E não entristeçais o Espírito de Deus [não o ofendais] no qual fostes selados (marcados, carimbados como de propriedade de Deus, firmados) para o dia da redenção (libertação final do mal e conseqüências do pecado, através de Cristo).
>
> Longe de vós, toda amargura, e cólera (paixão, ódio, temperamento difícil), e ira (raiva, animosidade) e gritaria (briga, contenda, polêmica), e bem assim toda malícia (rancor, má vontade e torpeza de qualquer tipo).
>
> Ef 4.29-31

Parece-me que entristecemos o Espírito Santo quando maltratamos os outros ou lhes falamos de maneira áspera.

Ele também se entristece quando falamos mal, o que inclui todo tipo de conversa negativa, reclamação ou murmuração.

Ainda nessa passagem podemos observar que somos "selados no Espírito Santo". Às vezes eu visualizo esse conceito como um saco *zip-lock*. Nada pode nos atingir enquanto tivermos a marca do selo.

Se colocarmos um pedaço de pão num *zip-lock*, ele se conservará fresco, desde que não deixemos que o ar penetre nele, mas, se formos descuidados e permitirmos que o selo seja quebrado, o pão ficará velho e duro em poucas horas.

71

Penso que a mesma coisa acontece conosco. Quando respeitamos o Espírito Santo e não o aborrecemos, o ofendemos ou o entristecemos, estaremos protegendo nosso selo.

Um Espírito Murmurador, Crítico e Repreensível

Nem conversação torpe (obscena, indecente), nem palavras vãs (tolas e corruptas) ou chocarrices, coisas essas inconvenientes; antes, pelo contrário, ações de graças [a Deus].

Ef 5.4

O que Paulo está dizendo aqui é: "Ao invés de irar-se, ofender e entristecer o Espírito Santo, *mostre sua gratidão a Deus*.

O espírito murmurador, crítico e repreensível deve ser completamente banido da Igreja.

Você já murmurou hoje?

Você tem que ser honesto... porque Deus sabe!

Nós nunca mudamos ou crescemos sem antes enfrentar a verdade e admitir que falhamos.

Você pode pensar: "Bem, sim, eu tenho murmurado, mas tenho uma boa razão. Se fosse tratado da maneira como sou tratado, se levasse a vida que levo, você murmuraria também".

Descobri, muito tempo atrás, que desculpas de qualquer tipo só me mantêm onde estou; elas me impedem de seguir em frente.

Em João 8.31,32 Jesus disse: *Se vós permanecerdes na minha palavra ... e conhecereis a verdade, e a verdade vos libertará.* (Paráfrase da autora.) A verdade nos libertará quando for aplicada em nossa vida.

O Espírito Santo está no ramo da convicção. Ele é o agente de santificação. Ele desenvolve o processo de santidade em nós. Jesus planta

Murmure e não Saia do Lugar, Louve e Seja Exaltado

a semente em nós, sua própria semente, e, então, o Espírito Santo nos ensina a Palavra aguando a semente. Ele também nos vê como um jardim de Deus que está sendo cultivado, e, amorosamente, nos mantém capinados. Desculpas são como ervas daninhas: se permitirmos que cresçam, sufocarão os frutos.

Eu era murmuradora, crítica e repreensível.
Na verdade, eu tinha um grande problema nessa área. Podemos ser libertos. Qualquer um pode ser. Havia circunstâncias genuinamente negativas em minha vida. Com um histórico imenso de abuso, sentia-me no direito de reclamar, mas a atitude de reclamar não me permitiu sair do lugar.

Parece-me que os que vivem em crise o tempo todo também têm vícios de murmuração e são repreensíveis. Esses dois traços negativos sempre estão juntos.

O problema inaugura um ciclo. Primeiro, alguém encontra alguma circunstância amarga, então murmura, o que o faz permanecer na circunstância. Aí, Satanás acrescenta mais miséria, o que leva a mais murmuração. Agora, a pessoa tem duas razões pelas quais murmurar.

Enquanto o ciclo continua, logo estará perdido num mar de problemas e murmurações. E transforma-se em um estilo de vida. Ele se sente carente e oprimido. Freqüentemente também se sente só.

Pessoas com um espírito crítico têm dificuldades em manter amizades. Estão acorrentados aos seus problemas e, depois de um período de tempo, os que estão ao seu redor se cansam de ouvir seus "ais" e começam a evitá-las – a menos que, é claro, murmuradores e ouvintes sejam iguais, e aí temos um caso de masoquismo.

A murmuração é como assobiar para o diabo.

Tive um cachorro chamado Buddy. Quando estava do lado de fora e queria que entrasse, eu assobiava, chamando: "Aqui, Budddy, aqui, Buddy". Pouco depois, ele entrava correndo.

A mesma coisa acontece quando murmuramos: estamos chamando o diabo, que vem imediatamente para nos causar mais sofrimento.

Se você e eu decidirmos não mais murmurar, posso afirmar de antemão que isso será um grande desafio. Muitas vezes não percebemos o quanto murmuramos até que alguém ou alguma coisa (como este livro) chame nossa atenção.

Com que facilidade nos impacientamos e começamos a murmurar quando ficamos presos no trânsito ou enquanto esperamos na fila do supermercado ou do shopping! Com que rapidez apontamos as falhas de nossos amigos ou membros da família! Murmuramos sobre nosso trabalho, quando devíamos ser gratos a Deus por ter um. Reclamamos sobre os preços altos, quando devíamos agradecer a Deus por poder sair e fazer compras.

Poderia continuar enumerando os fatos, mas creio que cada um de nós reconhece as áreas nas quais tem problema com murmuração.

Tive de encarar a dura verdade de que um espírito crítico quase sempre está enraizado no orgulho. A indignação explode numa pessoa orgulhosa quando ela está transtornada. A indignação é uma atitude que diz: "Eu não merecia estar nesta situação. Eu merecia ser tratado melhor por Deus e pelos outras". Pensamos: "Milhares podem estar na mesma situação, mas isso não devia acontecer comigo"!

Não conseguiremos parar de murmurar sobre o que não temos se não nos humilharmos e percebermos como somos abençoados em tudo o que temos. Devemos aprender a apreciar o que as pessoas fazem por nós e parar de reclamar sobre o que não fazem.

Meu marido, por exemplo, não é do tipo que compra flores em dias especiais, mas ele é muito flexível e extremamente fácil de lidar. Houve muitas ocasiões, como aniversários, comemorações e dia dos namorados, em que eu esperava mais dele. Ele sempre dizia: "Se você quiser alguma coisa, eu a levarei para sair e comprarei tudo o que pudermos pagar". Claro que, como toda mulher, eu gostaria que ele comprasse alguma coisa no shopping e me fizesse uma surpresa. Eu me queixei ao Senhor sobre isso fervilhando por dentro – com raiva, ofendida e ferida – e sentindo pena de mim mesma. Era tudo o que não deveria sentir, pois os meus sentimentos não ajudaram a mudar meu marido nem em um milímetro sequer.

Dave é maravilhoso, bom e generoso. Ele me deixa fazer quase tudo que quero e me compra qualquer coisa que desejo, se houver dinheiro para isso. Ele é bonito, cuida-se fisicamente, diz que me ama quase todos os dias e é muito amoroso.

Posso olhar para o que ele não é e ficar triste, ou posso olhar para o que ele é e ser grata!

Quem disse que sou perfeita? Todos nós somos iguais. Temos pontos fortes e pontos fracos, e para termos um bom relacionamento devemos realçar os atributos positivos e diminuir os negativos.

Uma Geração Ingrata

> Sabe, porém, isto: nos últimos dias, sobrevirão (estabelecerão) tempos difíceis [de lidar e suportar],
> pois os homens serão egoístas, avarentos, jactanciosos, arrogantes, blasfemadores (zombadores), desobedientes aos pais, ingratos, irreverentes,
>
> 2 Tm 3.1-2

Eu e Minha Boca Grande

Como Paulo previu muito tempo atrás, vivemos numa geração ingrata e corrupta. Parece que quanto mais as pessoas têm, menos valorizam o que têm.

Estamos no mundo como crentes, mas devemos nos esforçar para não nos parecermos com o mundo. Quanto mais murmuram ao nosso redor, mais devemos expressar nossa gratidão a Deus.

Luzeiros no Mundo

> Fazei tudo sem murmurações nem contendas [contra Deus e entre vós],
> para que vos torneis irrepreensíveis e sinceros, filhos de Deus inculpáveis no meio de uma geração pervertida [espiritualmente perversa] e corrupta, na qual resplandeceis como luzeiros (estrelas ou faróis brilhando intensamente) no mundo [tenebroso].
>
> Fp 2.14-15

Essa passagem enfatiza o que estou compartilhando. Deveríamos evitar murmurar porque este é o espírito do mundo hoje. Deveríamos mostrar ao mundo como Deus é. Deveríamos imitar a Jesus e seguir seu exemplo sendo luzeiros no mundo.

Uma nova geração tem se levantado, e a muitos não foi ensinado nenhum princípio divino. Não lhes foi ensinado nada sobre Deus na escola nem foram ensinadas a orar em casa. Elas têm visto alguns exemplos tristes de líderes espirituais que caíram publicamente e sem ter um fundamento sólido, por isso é fácil para elas concluir que "religião" não vale nada.

Nós somos cartas lidas por todos os homens. (2 Co 3.2.)

Não precisamos mostrar a religião do mundo, que é hipócrita, falando o que fazer quando nós mesmos não o fazemos.

Precisamos mostrar-lhes Jesus mediante um estilo de vida que exalte seus princípios. Esses versículos em Filipenses devem ser levados bem a sério no que se refere ao mandamento de não sermos murmuradores, queixosos ou repreensíveis. Somos ordenados a ser diferentes do mundo, para que possamos mostrar ao mundo uma maneira diferente de viver.

Um Desafio Diário

> Estejam sempre cheios de alegria no Senhor; e digo outra vez: regozijem-se!
> Que todo mundo veja que vocês são generosos e amáveis em tudo quanto fazem. Lembrem-se de que o Senhor virá em breve.
> Não se aflijam com nada; ao invés disso, orem a respeito de tudo; contem a Deus as necessidades de vocês, e não se esqueçam de agradecer-lhe suas respostas.
>
> Fp 4.4-6, VBV

Você e eu precisamos fazer um desafio diário de não murmurar ou culpar. Não significa que não devemos corrigir situações equivocadas ou viver com a cabeça nas nuvens e fingir que nada negativo existe. Isso significa simplesmente que ser tão positivo quanto possível é o alvo da nossa vida.

Não murmure quando a murmuração não produz nenhum bem.

O problema começa no coração e sai pela boca. Primeiro, uma atitude de ajuste é necessária e, então, o fruto dos lábios mudará.

Vá para a cama à noite e medite sobre tudo pelo qual você tem que ser grato. Deixe que essa seja a primeira coisa que você vai fazer de manhã. Agradeça a Deus pelas "pequenas" coisas: pela vaga para estacionar que ele faz você encontrar, por levantar na hora certa para o trabalho, por poder andar, por ouvir ou ver seus filhos.

Desenvolva uma "atitude de gratidão". Faça disso um desafio "um dia de cada vez". Não se sinta desencorajado quando falhar, mas não jogue a toalha nem desista. Continue até que você desenvolva novos hábitos.

Gostamos de orar sobre as nossas necessidades e levar nossas petições diante de Deus, mas quantos de nós se lembra de agradecer a Deus quando a resposta chega? Gostamos de dar aos filhos o que eles nos pedem, mas nos sentimos ofendidos se apenas "agarram as coisas" e correm, sem ao menos agradecer. Quando são gratos e se lembram de dizer "obrigado" e se disserem isso mais de uma vez, com certeza, ficaremos motivados a querer fazer mais por eles.

Deus é assim conosco.

Seja generoso em sua gratidão, e seu relacionamento com o Senhor será mais agradável.

Reclamar Antecipadamente

> Oh! Como é bom e agradável viverem unidos os irmãos!
>
> Sl 133.1

David, nosso filho mais velho, e sua esposa, certa vez, venderam um *trailer* e compraram uma casa. O único problema era que só tinham um mês para sair do *trailer* em que moravam e mudar-se para a nova casa.

Como ficaram sem lugar para morar temporariamente, nós os convidamos para morar conosco.

O interessante foi que David e eu tivemos problemas de relacionamento durante a estada dele em nossa casa. Nossas personalidades são muito parecidas. Temos opiniões próprias, o que nem sempre é uma boa combinação.

Depois que tudo passou, nosso relacionamento voltou ao normal. Ele trabalha para nós, e isso funciona bem, mas morar sob o mesmo teto é outra história. Nada de negativo aconteceu, mas minha mente continuava pensando "E se..."

Enquanto Dave e eu descíamos a rua de carro, a minha língua coçava para falar coisas negativas que poderiam acontecer: "E se não houver água quente suficiente para o meu banho de manhã depois que todo mundo tiver tomado banho? E se eles deixarem a bagunça para eu arrumar"?

Nada de ruim tinha acontecido ainda. David e sua esposa nem tinham se mudado, mas a minha língua já estava pronta para declarar o desastre antecipadamente.

Satanás queria que eu profetizasse meu futuro. Queria que eu criticasse a situação com antecedência.

Se o diabo pode conseguir que nos tornemos negativos, ele pode nos prover de circunstâncias negativas — se semearmos sementes negativas.

Meu liquidificador funciona independentemente do que é colocado nele. Se bater sorvete e leite, terei um *milk-shake*; se misturar água e terra, terei lama. O liquidificador funciona. Ele é criado para funcionar. Depende do que eu colocar nele. O que ponho é o que terei.

O mesmo acontece com nossa mente, com o nosso coração e com a nossa língua. O que entra é o que vai sair — para o bem ou para o mal.

David e Shelly moraram conosco durante um mês, e tudo correu bem. Eu conhecia bem esses princípios para resistir à tentação de murmurar antecipadamente e insisto que você tenha cuidado com essa tentação também. Quando era tentada a falar palavras negativas, eu escolhia dizer: "David e Shelly morando conosco vai funcionar bem, não será nenhum problema. Tenho certeza de que todos vão cooperar e ser sensíveis às necessidades dos outros".

David e eu fizemos piada sobre o fato de termos ficado trinta dias sob o mesmo teto. Nós dois gostamos de estar certos, então ele disse: "Vou lhe dizer uma coisa, mãe: Vamos revezar quem está certo. Durante os trinta dias que estivermos juntos, você pode estar certa por quinze dias e eu estarei certo por quinze dias". Rimos e nos divertimos.

Plantando Sementes para uma Futura Colheita

> Tanto sei estar humilhado como também ser honrado; de tudo e em todas as circunstâncias, já tenho experiência, tanto de fartura como de fome; assim de abundância...
>
> Fp 4.12

Como vemos em sua carta aos Filipenses, Paulo não murmurou diante das dificuldades pelas quais todos nós passamos, principalmente no início.

No nosso caso, Deus abençoou nosso ministério e nos favoreceu muito. Hoje, temos a chance de ministrar reuniões e seminários em ótimas igrejas e centros de convenções em todo o país. Mas não foi assim no começo. Como no caso da maioria das pessoas, começamos por baixo. Aprendemos a não menosprezar nem murmurar sobre aqueles dias. (Zc 4.10.)

Um dos primeiros salões de hotel que alugamos para um seminário era feio e velho. Estávamos indo de St. Louis, Missouri, para uma reunião em outro Estado e tínhamos alugado o espaço por telefone, sem tê-lo visto antes. Claro que o pessoal do hotel falou que o lugar era bonito e que o serviço era bom.

Quando chegamos, o vento estava soprando forte, e a primeira coisa que notamos foi que várias ripas do telhado estavam caídas no estacionamento. As cadeiras do salão estavam numa condição muito precária. A espuma saía pelos furos do estofamento. Em outras havia restos de comida e muitas manchas. O ar-condicionado estava desregulado, e toda hora a temperatura precisava ser ajustada no local (porque estava ou quente demais ou frio demais): um empregado da manutenção tinha de entrar no salão de conferência durante o evento e subir uma escada. Ele subia até o telhado e ajustava alguma coisa porque os controles do ar-condicionado não estavam funcionando.

Analisando a situação, sabíamos que não havia nada a ser feito porque a primeira reunião tinha começado por volta de cinco horas; então, *todos começamos a murmurar,* o que é "natural" em circunstância como essa.

Imediatamente, o Espírito Santo começou a ministrar ao meu coração dizendo que, se passássemos por essa situação sem reclamar, estaríamos construindo uma base firme para o futuro. Ele me mostrou que poderíamos até ir aos melhores lugares, mas nunca seríamos "promovidos" a coisas melhores se não semeássemos agora as sementes para o futuro.

A murmuração teria produzido sementes, mas sementes que nos deixariam em situação pior do que aquela em que estávamos. Semear sementes de gratidão *em* – e não *por* –, enfrentar a situação na qual estávamos produziria uma colheita abundante depois.

Reuni a equipe (que naquele tempo era de, no máximo, meia dúzia de pessoas) e disse-lhe o que o Espírito Santo tinha me mostrado. Concordamos em não murmurar sobre coisa alguma no hotel.

Propositadamente, procuramos coisas das quais pudéssemos dizer alguma coisa boa.

O resultado foi que tivemos uma reunião de sucesso e aprendemos uma lição vital que renderia muitos dividendos no futuro.

Uma Antecipação das Coisas Boas Que Virão

> E assim, depois de esperar [Abraão] com paciência, obteve [no nascimento de Isaque como uma promessa do que estava para vir] Abraão a promessa.
>
> Hb 6.15

Nesse versículo o escritor do livro de Hebreus declara que Isaque era uma promessa do que estava por vir.

Deus não prometeu a Abraão apenas um filho, prometeu que ele seria o pai de muitas nações. Muitas pessoas hoje têm uma "promessa" ou antecipação das coisas boas que Deus tem para elas.

Em 1 Reis 18, depois de um longo período de seca que Elias tinha profetizado, Deus lhe disse que falasse ao rei Acabe que iria chover. Elias falou a Palavra de Deus pela fé sem nenhuma evidência de chuva.

Então, subiu ao topo de uma montanha e começou a orar. Enquanto orava, ele enviou seu servo ao ponto mais alto para olhar o céu. Seis vezes o servo foi e voltou com a resposta de um céu limpo e sem nuvens. Finalmente, na sétima vez, ele voltou e relatou: " Vejo uma nuvem do tamanho da mão de um homem". Diante da imensidão do céu, isso não é muito, mas foi o suficiente para motivar Elias a dar o próximo passo de fé. Ele disse a Acabe: ... *aparelha o teu carro e desce, para que a chuva não te detenha* (v. 44).

Esta nuvem, embora muito pequena, foi o início de uma grande chuva (v. 45). Era uma promessa ou antecipação de coisas boas que viriam.

Só uma Semente

> Pois quem [com razão] despreza o dia dos humildes começos...
>
> Zc 4.10

Provavelmente a maioria de nós que está esperando em Deus por alguma coisa pode ver a evidência de um pequeno começo: uma sementinha, uma nuvem do tamanho da mão de um homem.

Alegre-se com a semente; ela é um sinal de coisas grandes que virão.

Não amaldiçoe sua semente murmurando.

Deus nos dá semente, alguma coisa que produza em nós esperança, uma pequena coisa, talvez, mas alguma coisa é melhor que nada. Devíamos dizer: "Senhor isto é somente uma coisinha, mas obrigado por me dar alguma esperança, alguma coisa à qual me apegar. Obrigado, Senhor, por um começo".

Pegue essa semente e plante-a, crendo.

O Espírito Santo me mostrou que eu estava jogando fora muitas de minhas sementes.

Quando desprezamos alguma coisa, damos pouca consideração a ela. Não a notamos e a consideramos como nada. Não cuidamos dela. Se não cuidarmos do que Deus nos dá, nós o perderemos.

Se perdermos a semente, nunca veremos a colheita.

Hebreus 13.5 diz, na essência: "Contente-se com o que você tem".

Vamos ser como Paulo: vamos *aprender* a viver tanto na escassez como na abundância – e estar contentes em qualquer circunstância, sabendo que cada pedaço é uma parte do quadro inteiro.

A Bíblia diz: *Eu [Deus] nunca te deixarei.*

É por isso que podemos ficar contentes – pela fé – durante o pequeno começo.

Sabemos que o Senhor é o Autor e o Consumador. (Hb 12.2.) O que Deus começa ele termina. (Fp 1.6.) Ele fará isso por nós – *se* mantivermos nossa fé firme até o final. (Hb 3.6.)

> Já não falarei muito convosco, porque aí vem o príncipe [gênio do mal, governador] do mundo; e ele nada tem em mim; [Ele não tem nada em comum comigo; não há nada em mim que pertença a ele e ele não tem nenhum poder sobre mim.]
>
> Jo 14.30

Capítulo 7
Passe para a Outra Margem

> Ele foi oprimido e humilhado, mas não abriu a boca; como cordeiro foi levado ao matadouro; e, como ovelha muda perante os seus tosquiadores, ele não abriu a boca.
>
> Is 53.7

Um dos momentos mais difíceis para disciplinar nossa mente, nossa língua, nosso humor e nossas atitudes é durante uma tempestade. Experimentamos tempestades de muitos níveis. Temos nossa fé testada e provada. E *devemos aprender como nos comportar na tempestade!*

Versículos como os de João 14.30 e Isaías 53.7 sempre me deixaram confusa. Não tinha compreensão real da mensagem até que o Espírito Santo me revelou que se relacionavam com a língua e a tempestade.

Quando Jesus estava experimentando a mais intensa pressão, ele "decidiu" que seria sábio não abrir a boca. Por quê? Creio que foi porque, em sua humanidade, Jesus teria sido tentado a fazer a mesma coisa que você e eu seríamos tentados a fazer, ou seja, duvidar, questionar a Deus, murmurar, dizer alguma coisa negativa, etc.

Até mesmo um crente maduro dirá coisas que não deveria, quando a pressão é intensa e dura muito tempo.

Jesus é o filho de Deus, ele mesmo é Deus, mas veio na forma de um ser humano. O escritor de Hebreus 4.15 diz que ele ... *foi tentado em todas as coisas à nossa semelhança, mas sem pecado.*

Quando Jesus enfrentou situações nas quais poderia ser tentado a dizer coisas infrutíferas, ele, propositadamente, decidiu que se calaria.

Essa é uma decisão sábia para qualquer um tomar durante tempos de estresse. Ao invés de falar de emoções conflitantes ou sentimentos feridos, é sempre melhor aquietar-nos e permitir que a tempestade emocional se acalme.

As Bênçãos Estão Chegando

> Naquele dia [quando], sendo já tarde, disse-lhes Jesus: Passemos para a outra margem [do lago].
>
> Mc 4.35

É sempre emocionante quando Jesus nos diz: "Vamos fazer uma coisa nova". Para mim, a frase "passemos para a outra margem" equivale a dizer "a promoção está chegando," ou "as bênçãos estão a caminho", ou "suba mais alto", ou qualquer outra palavra que o Senhor usa para nos dizer que é hora de mudança.

Tenho certeza de que os discípulos estavam animados em ver o que aconteceria "no outro lado." O que eles não esperavam ou previam era uma violenta tempestade no caminho!

A Fé é para o Meio

> Ora, levantou-se grande temporal de vento [como um furacão], e as ondas se arremessavam contra o barco, de modo que o mesmo já estava a encher-se de água.

Passe para a Outra Margem

E Jesus [mesmo] estava na popa [do barco], dormindo sobre o travesseiro [de couro]; eles o despertaram e lhe disseram: Mestre, não te importa que pereçamos?

Mc 4.37-38

Os discípulos, provavelmente, não estavam tão agitados no meio do caminho como estavam no início. Embora Deus freqüentemente nos chame para um novo destino, quase sempre ele não nos deixa saber o que vai acontecer no caminho. Abandonamos a segurança de onde estamos e partimos para as bênçãos da outra margem; mas é no meio que geralmente ocorrem as tempestades.

O meio é geralmente um lugar de teste.

A tempestade estava com força total, e Jesus estava dormindo! Isso soa familiar? Você já passou por momentos em que sentiu que estava afundando rapidamente e Jesus estava dormindo? Você orou e orou e não ouviu nada de Deus? Passou tempo com ele e tentou sentir sua presença e, ainda assim, você não sentiu nada? Buscou uma resposta e, apesar de ter lutado tanto contra o vento e as ondas, a tempestade ficou ainda mais violenta – e você ficou sem saber o que fazer?

Às vezes nos referimos a essas estações como "a meia-noite" ou "a noite negra da alma".

A tempestade na qual os discípulos se encontravam não era uma chuvinha de abril ou uma inofensiva tempestade de verão, mas "um verdadeiro furacão". As ondas não estavam indo e vindo calmamente, mas chicoteavam o barco com tanta fúria a ponto de rapidamente enchê-lo de água.

Só isso já seria o suficiente para assustar qualquer um.

É em momentos assim, quando o barco parece que vai afundar conosco, que devemos "usar" nossa fé. Podemos falar ou ler sobre fé, ouvir sermões, cantar músicas, mas, na tempestade, *devemos* usá-la.

É também nessas horas que descobrimos quanta fé realmente temos. A fé é como um músculo; ela se torna mais forte quando é usada e não apenas quando falamos dela.

Cada tempestade que enfrentamos nos capacita a lidar melhor com a próxima. Logo nos tornamos um navegador tão bom que as tempestades não nos perturbam mais. Já passamos por isto antes e sabemos como terminará. *Tudo ficará bem!*

De acordo com a Bíblia, somos mais que vencedores (Rm 8.37). Para mim, isso significa que já sabemos que venceremos antes mesmo da batalha começar. Para alcançar o alvo, temos de enfrentar a tempestade, o que nem sempre é divertido. Mas é uma bênção saber que *a fé é para aqueles dias quando não vemos a manifestação ainda. A fé é para o meio.*

Começar uma coisa não requer uma fé tremenda. O começo e o fim são emocionantes, mas, puxa, o meio... Mesmo assim, temos de passar pelo meio para chegar à outra margem.

Jesus queria que seus discípulos cressem nele. *Passemos para a outra margem*, disse ele. Jesus esperava que cressem que, se ele disse, aquilo iria acontecer. No entanto, assim como nós, os discípulos ficaram com medo.

Tempestade Acalmada, Discípulos Repreendidos

E ele, despertando, repreendeu o vento e disse ao mar: Acalma-te, emudece! (cala-te) O vento se aquietou (relaxou), e fez-se [imediatamente] grande bonança (uma paz perfeita). Então, lhes disse: Por que sois assim tímidos?! Como é que não tendes fé (nenhuma confiança firme)?

Mc 4.39-40

Passe para a Outra Margem

Jesus acalmou a tempestade, mas repreendeu os discípulos pela falta de fé.

Por que Jesus faz isso?

É vital para nosso futuro que cresçamos na fé, que é a confiança em Deus. Se Jesus permitisse que ficássemos com medo e continuasse a acalmar as nossas tempestades, sem nos corrigir, nunca aprenderíamos a insistir para passar para a outra margem.

Uma das coisas que devemos mudar é a nossa resposta às tempestades da vida. Claro que devemos crescer no domínio próprio e disciplina da língua. Como vimos, não podemos "domar a língua" sem a ajuda de Deus, mas nem ele fará isso por nós.

Agüente Firme! A Ajuda Está a Caminho!

Guardemos firme a confissão da esperança, sem vacilar, pois quem fez a promessa é (certamente) fiel.

Hb 10.23

Não basta ser positivo e falar com fé quando nossas circunstâncias são positivas.

É hora de passarmos para a outra margem, é hora de subirmos mais alto.

É hora de guardarmos firme a confissão da esperança (Hb 10.23) e sobrevivermos às tempestades, sabendo que Deus tem seus olhos em tudo, inclusive em nós e na tempestade. Deus é fiel, e podemos segurar em sua mão sabendo que Ele não permitirá que afundemos.

Uma Fonte com Água Doce e Amarga

De uma só boca procede bênção e maldição. Meus irmãos, não é conveniente que estas coisas sejam assim.

> Acaso, pode a fonte jorrar [simultaneamente] do mesmo lugar o que é doce e o que é amargo?
>
> Tg 3.10-11

Devíamos nos esforçar para eliminar a "conversa contraditória" – falar uma coisa nos momentos bons e outra nos momentos ruins.

Devíamos nos esforçar para não ser fontes que jorram água doce em momentos agradáveis e amarga em momentos amargos.

Jesus estava sujeito às mesmas pressões e tentações que nós, e mesmo assim ele permaneceu sempre o mesmo. (Hb13.8.) Jesus teve de disciplinar sua língua e sua conversa durante as tempestades da vida, e nós também devemos fazer o mesmo.

O controle da língua deveria ser o nosso alvo. É um sinal de maturidade. É uma maneira de glorificar a Deus.

Refreie a Língua

> Se alguém supõe ser religioso (observador de deveres externos de sua fé), deixando de refrear a língua, antes, enganando o próprio coração, a sua religião é vã (fútil, estéril).
>
> Tg 1.26

Meu amigo, essa é uma declaração forte. Podemos fazer todo tipo de "boas obras" por convicção religiosa, mas, se não "refrearmos a língua," não terão valor algum.

Quando o assunto é palavra, língua e boca – não sei se esse é o seu caso – fico deveras preocupada.

Passe para a Outra Margem

O termo *cabresto* é definido no *Webster* como um arreio que consiste de uma testeira, freio e rédeas, que se encaixa na cabeça de um cavalo e é usado para controlar a marcha ou para guiá-lo.[1]

No meio das tempestades da vida, se não refrearmos a língua, jamais experimentaremos a libertação. O Espírito Santo será nosso cabresto, se aceitarmos sua liderança e orientação.

Coloque um Freio na Boca!

Ora, se pomos freio na boca dos cavalos, para nos obedecerem, também lhes dirigimos o corpo inteiro.

Observai, igualmente, os navios que, sendo tão grandes e batidos de rijos ventos, por um pequeníssimo leme são dirigidos para onde queira o impulso do timoneiro.

Assim, também a língua, pequeno órgão, se gaba de grandes coisas. Vede como uma fagulha põe em brasas tão grande selva!

Tg 3.3-5

Esses versículos indicam que a língua direciona nossa vida. Alguém pode dizer que nossas palavras delimitam margens nas quais devemos viver.

A língua é um membro tão pequeno do corpo, e mesmo assim pode realizar grandes coisas. Seria maravilhoso se fossem somente coisas boas, mas não é assim. Relacionamentos são destruídos pela língua. A língua pode causar – e freqüentemente causa – divórcio. Pessoas são emocionalmente feridas, e nem todas se recuperam. Alguns idosos ainda estão feridos por coisas que lhes foram ditas quando eram crianças. Sim, a língua pode ser um pequeno órgão, mas, puxa, quão poderosa ela é!

O freio que é colocado na boca de um cavalo também é muito pequeno, mas dá direção. *Webster* define o freio como "a peça de metal de um cabresto que controla e reprime um animal... Algo que controla..."[2] Precisamos de um freio na boca, mas não será colocado de maneira forçada: devemos querer. O Espírito Santo funcionará como esse freio se escolhermos sua direção. Quando começarmos a falar coisas erradas, nós o sentiremos puxar na direção correta. Ele está sempre trabalhando em nós, para nos manter longe dos problemas. Seu ministério é para ser muito valorizado.

O Espírito Santo como Freio e Cabresto

> Não sejais como o cavalo ou a mula, sem entendimento, os quais com freios e cabrestos são dominados; de outra sorte não te obedecem.
>
> Sl 32.9

Um cavalo obedece ao comando do cabresto, que lhe controla o freio na boca. Se desobedecer, sofrerá grande dor. Acontece o mesmo em nosso relacionamento com o Espírito Santo. Ele é o cabresto e o freio em nossa boca. O Espírito Santo deveria estar controlando as rédeas de nossa vida. Ao seguirmos sua ordem, chegaremos ao lugar certo e ficaremos fora de todos os lugares errados, mas, se fizermos o contrário, sofreremos muito.

A Língua Tem Vontade Própria

> ... e toda altivez que se levante contra o [verdadeiro] conhecimento de Deus, e levando cativo todo pensamento à obediência de Cristo (o Messias, o Ungido).
>
> 2 Co 10.5

Em tempos de prova, a língua parece ter vontade própria. Às vezes, sinto que minha língua tem um motor que alguém ligou quando eu menos esperava.

É muito importante ser responsável por nossos pensamentos, porque a fonte da palavra é o pensamento. Satanás sugere um pensamento como: "Eu não posso mais continuar assim". O que vai acontecer depois, já sabemos: a língua dispara e verbaliza o pensamento.

Como o problema começa na mente, a solução deve estar lá também. Devemos levar todo pensamento cativo à obediência de Cristo. Devemos "lançar fora" as imaginações erradas. (2 Co 10.5.)

A mente é o campo de batalha [3] e deve ser renovada completamente para experimentar a boa vontade de Deus. (Rm 12.1-2.)

A boca nunca será controlada a menos que a mente seja controlada.

Por falar em controle da mente, é interessante observar que pessoas que fazem bruxaria buscam controlar os pensamentos de outras pessoas. Aprender a projetar pensamentos errados em direção a pessoas inocentes é uma das prioridades delas.

O que eu concluo disso é que *Satanás quer controlar nossa mente.*

O Espírito Santo também quer controlar nossa mente, mas ele nunca nos força. É nossa escolha. Ele nos guia na direção certa e nos revela os pensamentos errados. Por isso, devemos escolher lançar fora o pensamento errado e pensar em alguma coisa que produzirá bom fruto, como somos instruídos em Filipenses 4.8:

> Finalmente, irmãos, tudo o que é verdadeiro, tudo o que é respeitável, tudo o que é justo, tudo o que é puro, tudo o que é amável, tudo o que é de boa fama, se alguma virtude há e se algum louvor existe, seja isso o que ocupe o vosso pensamento [fixeis vossa mente nisso].

No Salmo 19.14, o salmista ora: *As palavras dos meus lábios e o meditar do meu coração sejam agradáveis na tua presença, SENHOR, rocha [firme, impenetrável] minha e redentor meu.* Observe que ele menciona tanto a boca quanto a mente. É porque elas trabalham juntas.

Acho que algumas pessoas tentam controlar a língua, mas não fazem nada sobre os pensamentos. É como arrancar as folhas de uma erva daninha e deixar a raiz. Em pouco tempo, ela crescerá novamente.

Organize Sua Conversa

Bem-aventurados (felizes, afortunados, invejados) os irrepreensíveis (os corretos, verdadeiramente sinceros e inculpáveis) no seu caminho [da vontade revelada de Deus], que andam (organizam sua conduta e conversa) na lei do SENHOR (a vontade completa de Deus).

Sl 119.1

Devemos organizar nossa conversa de acordo com a vontade de Deus.

Quando estiver sendo provado, não olhe só para onde você está agora e o que está acontecendo com você, mas olhe tudo com os olhos da fé.

Você se afastou da praia e agora está no meio do mar com a tempestade rugindo, mas *você passará para a outra margem.* Há bênçãos esperando por você lá, então, *não desista!*

Muitas pessoas retrocedem em tempos de desafio porque nunca aprenderam como falar.

Submeter-se a uma prova já é muito desanimador e não precisamos de palavras de desalento que piorem ainda mais a situação.

Passe para a Outra Margem

Em Deuteronômio 26.14, foi ordenado aos israelitas que trouxessem suas ofertas ao Senhor e dissessem: *Dos dízimos não comi no meu luto*... Às vezes, quando as pessoas estão de luto, começam a comer seus próprios dízimos em vez de oferecê-los ao Senhor, retrocedendo, assim, na oferta. Por quê? Porque é mais difícil ser obediente ao Senhor nos momentos de dificuldades pessoais.

O diabo sussurra: "Esse negócio de dízimo não está funcionando, é melhor você segurar o que conseguiu ao invés de dá-lo". A língua coça e diz: "Isso não está funcionando; é melhor usar o dinheiro para suprir minhas próprias necessidades porque ninguém mais está me ajudando".

Lembre-se: Satanás não quer que você passe para a outra margem. Ele não quer que você faça nenhum progresso. Ele quer ver você voltar para o lugar de onde veio.

Em Marcos 4, quando Jesus contou a parábola do semeador, a imagem do solo representava diferentes tipos de coração que recebiam a Palavra. No versículo 17, Jesus fala da semente que foi plantada no solo rochoso, referindo-se àqueles que têm o coração endurecido como a rocha:

> Mas eles não têm raiz em si mesmos, sendo, antes, de pouca duração; em lhes chegando a angústia ou a perseguição por causa da palavra, logo se escandalizam (tornam-se desgostosos, **indignados e ressentidos**).

As pessoas podem retroceder durante períodos de provação e tribulação. Em João 16.33, Jesus declara que devemos ter bom ânimo durante tais períodos, pois ele venceu o mundo por nós:

Eu e Minha Boca Grande

Estas coisas vos tenho dito para que tenhais [perfeita] paz em mim. No mundo, passais por aflições; mas tende bom ânimo, [tenhais coragem, sejais confiantes, certos, não duvideis] eu venci o mundo. [Eu o privei do poder de prejudicar-vos e o conquistei por vós]

Essas são coisas que precisamos nos lembrar e dizer.

Poderão Reviver Estes Ossos?

Veio sobre mim a mão do SENHOR; ele me levou pelo Espírito do SENHOR e me deixou no meio de um vale que estava cheio de ossos,
e me fez andar ao redor deles; eram mui numerosos [os ossos humanos] na superfície do vale e estavam sequíssimos.
Então, me perguntou: Filho do homem, acaso, poderão reviver estes ossos? Respondi: SENHOR Deus, tu o sabes.
Disse-me ele: Profetiza a estes ossos e dize-lhes: Ossos secos, ouvi a palavra do SENHOR.

Ez 37.1-4

Você pode achar que sua vida não passa de ossos secos e mortos. Suas circunstâncias podem estar tão mortas que já cheiram mal. Sua esperança pode parecer perdida, mas deixe-me mostrar-lhe a saída de Deus. Esse texto narra que o profeta fez como Deus ordenou e viu o Senhor reviver e colocar fôlego e espírito nos ossos secos e mortos.

A mesma coisa pode acontecer conosco, desde que nos tornemos porta-vozes de Deus e profetizemos sua Palavra. Não podemos mais falar nossas próprias palavras vãs e, sob pressão, permitir que nossa língua assuma o papel principal.

Lázaro, Vem para Fora!

> Estava enfermo Lázaro, de Betânia, da aldeia de Maria e de sua irmã Marta.
>
> Esta Maria, cujo irmão Lázaro estava enfermo, era a mesma que ungiu com bálsamo o Senhor e lhe enxugou os pés com os seus cabelos.
>
> Mandaram, pois, as irmãs de Lázaro dizer a Jesus: Senhor, está enfermo aquele a quem amas.
>
> Jo 11.1-3

Em João 11, a doença e morte de Lázaro são relatadas. Quando Jesus entrou em cena, Lázaro já estava morto há quatro dias. Indo ao encontro de Jesus, sua irmã Marta disse-lhe: ... *Senhor, se estiveras aqui, não teria morrido meu irmão* (v. 21). Mais tarde, sua irmã, Maria, lhe falou exatamente a mesma coisa: ... *Senhor, se estiveras aqui meu irmão não teria morrido.* (v.32)

Nós nos sentimos assim, às vezes. Sentimos que se Jesus tivesse aparecido mais cedo talvez as coisas não tivessem ficado tão ruins. Tenho certeza de que os discípulos sentiram que a sua situação teria sido diferente se Jesus não tivesse adormecido no barco.

Em João 11.23-25, vemos como Jesus respondeu a essas palavras de desesperança e desespero:

> Declarou-lhe Jesus: Teu irmão há de ressurgir.
>
> Eu sei, replicou Marta, que ele há de ressurgir na ressurreição, no último dia.
>
> Disse-lhe Jesus: *Eu [eu mesmo] sou a ressurreição e a vida. Quem crê (adere a, confia em e depende de) em mim, ainda que morra, viverá.*

Você sabe o resto da história. Jesus chamou Lázaro, o homem que esteve morto durante quatro longos dias, para vir para fora do túmulo, e ele veio totalmente restaurado. Se Jesus pôde ressuscitar um morto, certamente pode ressuscitar uma circunstância morta.

Podemos ver, pela experiência de Ezequiel com os ossos secos e pela ressurreição de Lázaro, que não importa quão ruim as coisas pareçam, Deus trará a solução. Mas lembre-se: há princípios espirituais que devemos respeitar para ver o poder de Deus operando milagre.

Um desses princípios espirituais é ilustrado pela história da mulher com o fluxo de sangue.

Continue Dizendo a Si Mesmo

> Aconteceu que certa mulher, que, havia doze anos, vinha sofrendo de uma hemorragia
> e muito padecera à mão de vários médicos, tendo despendido tudo quanto possuía, sem, contudo, nada aproveitar, antes, pelo contrário, indo a pior,
> tendo ouvido a fama de Jesus, vindo por trás dele, por entre a multidão, tocou-lhe a veste.
>
> Mc 5.25-27

Que diremos da mulher com o fluxo de sangue? Estava doente há doze anos. Tinha sofrido muito e ninguém pôde ajudá-la.

Com certeza essa mulher era constantemente atormentada por pensamentos de desesperança. Quando decidiu ir até Jesus, ela deve ter ouvido: "De que adianta"? Mas decidiu enfrentar uma multidão tão grande que chegava a sufocá-la. Tocou as vestes de Jesus, virtude fluiu e ela foi curada

(Paráfrase dos vs. 29-34.) Mas há um detalhe que não podemos perder: *Porque, dizia*: *Se eu apenas lhe tocar as vestes, ficarei curada.* (Mc 5.28.) Ela *dizia*! Ela *dizia*! Você entende? Ela *dizia*! Não importa como a mulher se sentia, não importa quanto tentaram desanimá-la. Embora o problema já durasse doze anos e parecesse impossível passar pela multidão, essa mulher recebeu seu milagre. Jesus disse que fora a fé que a tinha salvado (v. 34). A fé dessa mulher foi liberada por meio de suas palavras. A fé tem de ser ativada para funcionar, e nós a ativamos pelas palavras.

Continue falando – e não desista da esperança!

Presos de Esperança

> **Voltai à fortaleza** [de segurança e prosperidade], ó presos de esperança; **também, hoje, vos anuncio que tudo vos restituirei em dobro.**
>
> Zc 9.12

Acabamos de ver três situações: ossos secos que reviveram, um morto trazido de volta à vida e uma mulher com uma doença incurável, totalmente curada. Todas essas "tempestades" eram impossíveis para os homens, mas para Deus todas as coisas são possíveis. (Mt 19.26.)

Recentemente, durante uma tempestade, o Espírito Santo me levou a esse versículo em Zacarias, o qual nunca tinha visto antes. Foi como se o tivesse escondido como um tesouro, só aguardando a hora em que eu realmente precisasse dele.

Como "presos de esperança", devemos ser cheios de esperança, devemos pensar esperança e devemos falar esperança. Esperança é o fundamento no qual a fé se apóia.

Algumas pessoas querem ter fé depois de perder toda a esperança. Não vai funcionar.

Recuse-se a parar de ter esperança, não importa quão secos os ossos possam parecer, quão morta a situação possa estar, quanto anos tenham passado; Deus ainda é Deus, e esse versículo nos diz que, se permanecermos positivos e formos "presos de esperança," Deus nos restituirá em dobro tudo o que perdemos.

Oração para o Controle da Língua

Põe guarda, SENHOR, à minha boca; vigia a porta dos meus lábios.

Sl 141.3

Oro este versículo com muita freqüência porque sei que preciso diariamente de ajuda para controlar minha língua. Quero que o Espírito Santo me condene quando estiver falando demais ou dizendo coisas que não deveria, quando estiver falando negativamente, quando estiver murmurando, quando for ríspida ou falar qualquer outro tipo de "má conversação."

Qualquer coisa que ofenda a Deus precisa ser eliminada de nossas conversas. É por isso que devemos orar continuamente: *Põe guarda, SENHOR, à minha boca; vigia a porta dos meus lábios.*

Outro versículo importante sobre este assunto está no Salmo 17.3:

... a minha boca não transgride.

Como disse anteriormente, temos de nos *propor* a fazer a coisa certa nessa área. Tudo quanto fizermos pela fé deve ser feito com um propósito.

Disciplina é uma escolha. Lógico que não é fácil, mas começa com uma decisão.

Passe para a Outra Margem

Quando estamos passando para o outro lado e de repente nos encontramos no meio da viagem, em uma violenta tempestade, temos de nos propor a não transgredir com a boca.

É quando devemos orar esse versículo.

Outro versículo que oro regularmente é o Salmo 19.14: *As palavras dos meus lábios e o meditar do meu coração sejam agradáveis na tua presença, SENHOR, rocha* [firme, impenetrável] *minha e redentor meu!*

Ore a Palavra. Nada chama tão rápido a atenção de Deus. É a sua Palavra que contém o poder do Espírito Santo.

Permita que esses versículos sejam o clamor do seu coração. Seja sincero em seu desejo de ganhar a vitória nessa área. E, enquanto busca a Deus, você vai notar que está mudando.

Isso é o que o Senhor tem feito por mim. E ele não faz acepção de pessoas. (At 10.34.) Todos aqueles que obedecem aos mandamentos de Deus recebem o cumprimento de suas promessas.

Ore esta oração de compromisso para exercer controle sobre a língua:

Senhor, oro para que tu me ajudes a desenvolver uma sensibilidade ao Espírito Santo sobre toda a minha maneira de conversar. Não quero ser teimoso como um cavalo ou mula, que só obedece ao toque do cabresto ou freio. Quero me mover em tua direção apenas com um leve toque teu.

Durante as tempestades da vida, enquanto estiver passando para a outra margem, peço tua ajuda. Preciso sempre da tua ajuda, Senhor, mas esses períodos são períodos de tentação.

Coloque guardas nos meus lábios e que todas as palavras da minha boca sejam aceitáveis diante de ti, ó Senhor, minha força e meu redentor.

Em nome de Jesus eu oro, amém.

... desenvolvei (cultivem, sigam para o alvo e completem totalmente) a vossa salvação com temor e tremor (não confiem em si mesmos, tenham extremo cuidado, sensibilidade de consciência, vigilância contra a tentação, temor de qualquer coisa que possa ofender a Deus e desacreditar o nome de Cristo).

Fp 2.12

Capítulo 8
A Sua Língua Está Salva?

Eu me lembro quando Deus falou ao meu coração: "Joyce, está na hora da sua língua ser salva."

Isso pode soar estranho, mas é verdade.

É possível ser salvo e não parecer. Um indivíduo pode ser um filho de Deus e, ainda assim, não falar como tal. Sei porque eu era assim.

Não basta ser salvo, a língua deve ser salva também. O apóstolo Paulo chama esse processo de "desenvolver" a nossa salvação.

O que significa exatamente "desenvolver a nossa salvação"?

Em Efésios 2.8-9, Paulo declarou plenamente que a salvação não pode ser ganha, ela é dada pela graça de Deus e recebida mediante a fé. A salvação não é a recompensa por boas obras, para que ninguém se glorie.

No novo nascimento, Deus, por sua graça, misericórdia, amor e bondade, envia seu filho Jesus Cristo para viver em nós, nos confere seu Espírito Santo e cria em nós um novo coração. Deus faz todo o trabalho, e nós recebemos o dom gratuito da salvação pela fé.

Trabalhar a salvação que recebemos gratuitamente é uma outra etapa da nossa caminhada com ele. Deus deposita a semente e nós cooperamos com a obra do Espírito Santo para que a semente cresça como uma planta que se apodera de todas as áreas da nossa vida.

Cultivando a Semente

Ora, as promessas foram feitas a Abraão e ao seu descendente. Não diz: E aos descendentes, como se falando de muitos, porém como de um só: E ao teu descendente, que é Cristo.

Gl 3.16

A Bíblia se refere a Jesus Cristo como "a semente." Gosto disso porque significa que se tiver uma semente vou ter uma colheita.

Jesus é a semente de tudo de bom que Deus deseja para nós. A semente é plantada por Deus, mas deve ser cultivada, nutrida, aguada e cuidada.

O solo no qual ela é plantada deve ser arado e sem ervas daninhas.

Nosso coração e nossa vida são o solo. Tudo o que precisa ser mudado e removido não é feito de uma só vez. Há um grande trabalho a ser feito, e somente o Espírito Santo sabe "quando e como." Enquanto o Espírito Santo trabalha certos aspectos da nossa vida, temos de submeter a ele nossa vontade, o que significa submeter a carne à liderança do espírito.

Se cada um pudesse se lembrar do início de sua caminhada com Deus e fizesse um inventário de todas as coisas que o Espírito Santo mudou desde então, ficaria maravilhado em reconhecer quão diferente está agora, comparado ao que era quando começou.

Lembro-me de que Deus começou trabalhando a questão da minha independência, pois não conseguia fazer nada sozinha. Depois, foi a vez das minhas motivações. Ele me mostrou que o que eu fazia não era tão importante; o mais importante era por que fazia. Deus lidou com as minhas atitudes, com aquilo ao qual eu assistia na TV e no cinema, com

A Sua Língua Está Salva?

minha maneira de vestir, com meus pensamentos – e com minha língua, naturalmente.

Para ser sincera, Deus tem tratado mais constantemente da questão da minha língua do que de qualquer outro aspecto.

Quando Deus quer usar alguma coisa, o diabo, com certeza, levanta-se e vai tentar roubar isso. Desde que fui chamada para ensinar a palavra de Deus, Satanás está sempre se intrometendo na propriedade do Senhor.

Claro que aprendi muitas coisas sobre a língua no decorrer dos anos, mas chegou o dia em que Deus me disse: "Está na hora de sua língua ser salva". Sabia que isso não era apenas um pequeno ensinamento do Espírito Santo sobre o poder das palavras, mas uma revelação sobre mudança de vida por intermédio *da língua!*

Endireite Sua Língua

Ouvi, pois falarei coisas excelentes; os meus lábios proferirão coisas retas.

Porque a minha boca proclamará a verdade; os meus lábios abominam a impiedade.

São justas todas as palavras da minha boca (corretas e de acordo com Deus); não há nelas nenhuma coisa torta, nem perversa.

Pv 8.6-8

Quando li esses versículos, sabia que tinha um longo caminho a percorrer. Eu estava orando por uma unção mais forte no meu ensino e ministério e Deus tinha que me mostrar três homens na Bíblia que foram chamados, mas que tiveram problemas com a língua. Deus me revelou que foi preciso tratar primeiro das palavras, da língua desses homens, antes que Ele pudesse usá-los da maneira que tinha planejado.

A Língua Temerosa de Jeremias

> A mim [Jeremias] me veio, pois, a palavra do SENHOR, dizendo: Antes que eu te formasse no ventre materno, eu te conheci [como meu instrumento escolhido], e, antes que saísses da madre, te consagrei, e te constituí profeta às nações.
> Então, lhe disse eu: ah! SENHOR Deus! Eis que não sei falar, porque não passo de uma criança.
> Mas o SENHOR me disse: Não digas: Não passo de uma criança; porque a todos a quem eu te enviar irás; e tudo quanto eu te mandar falarás.
> Não temas diante deles, porque eu sou contigo para te livrar, diz o SENHOR.
> Depois, estendeu o SENHOR a mão, tocou-me na boca e o SENHOR me disse: Eis que ponho na tua boca as minhas palavras.
> Olha que hoje te constituo sobre as nações e sobre os reinos, para arrancares e derribares, para destruíres e arruinares e também para edificares e para plantares.
>
> Jr 1.4-10

Deus chamou Jeremias como "um profeta às nações" e, imediatamente, Jeremias começou a falar coisas que Deus *não* tinha dito. Deus tinha de endireitar a língua de Jeremias antes que pudesse usá-lo. Não será diferente conosco. Primeiro, devemos entender que, quando Deus nos chama para fazer alguma coisa, não devemos dizer que não podemos fazê-lo.

Se Deus diz que podemos, então podemos! Freqüentemente falamos de nossas inseguranças ou verbalizamos o que os outros disseram sobre nós ou o que o diabo nos disse.

A Sua Língua Está Salva?

Precisamos dizer sobre nós mesmos o que Deus diz sobre nós!

Jesus disse: "Não falo minhas próprias palavras, mas as palavras daquele que me enviou. Eu digo somente o que tenho ouvido de meu Pai." (Jo 8.28;12.50, paráfrase da autora).

Deus nos chama para ir mais alto. Ele nos desafia a não mais falar nossas próprias palavras. Ele quer que falemos não o que vem da alma, mas o que vem do espírito.

Deus está preparando seu povo para ser usado por ele na colheita do final dos tempos. Ninguém é usado sem preparação. Isso significa que Deus deve lidar conosco e que devemos nos submeter a ele.

Deus quer nos "lapidar." Ele tem trabalhado em nossa vida há anos, mas agora está na hora de alguns ajustes finais.

Você, provavelmente, ouviu outras mensagens sobre a língua antes, por isso esta palavra pode não ser uma nova revelação para você. Mas a verdade é que, como muitos de nós, você continua tomando certas liberdades que já não lhe são permitidas.

Nova Etapa, Novo Demônio

Portanto, assim diz o SENHOR, o Deus dos Exércitos: Visto que proferiram eles [o povo] tais palavras, eis que converterei em fogo as minhas palavras na tua boca [Jeremias] e a este povo, em lenha, e eles serão consumidos.

Jr 5.14

Deus está nos chamando para subir mais alto, a uma nova etapa. E em cada nova etapa do poder e das bênçãos de Deus experimentamos nova oposição.

No passado, Jeremias pode ter falado da maneira que falamos agora, mas Deus estava chamando-o para uma nova etapa. Nela, aquele tipo de fala lhe causaria sérios problemas.

Devemos reconhecer que palavras erradas podem abrir portas para o inimigo que não desejaríamos.

Durante anos, Deus me falou para não abrir portas e um dia ele disse: "Joyce, esqueça as portas; Satanás está procurando uma pequena brecha para entrar na sua vida".

O que quer que Jeremias tenha feito não foi tão agressivo contra o reino das trevas como o que Deus tinha planejado.

Creio que a mesma coisa acontece na minha vida e na sua. Coisas que Deus deixou passar anteriormente agora não são mais permitidas. Não podemos andar na carne e na hora de exercer nosso dom ministerial tentar entrar no espírito rapidamente. Não haverá nenhum poder, nenhuma unção.

Deus disse a Jeremias que transformaria sua palavra como fogo em sua boca e o povo, em lenha.

Eu creio nesta mesma coisa em minha vida e no meu ministério. Quando falo a palavra de Deus, quero que tenha efeito dramático na vida das pessoas, mudando-as radicalmente.

Você deveria querer também.

Não temos mais tempo para um pouco aqui e um pouco lá. (Is 28.10,13.)

É hora de continuar a obra de Deus.

Eu li alguns livros que falavam de reavivamentos passados e de como a unção do Senhor era poderosa na pregação. Centenas de pessoas caíam ao chão e começavam a clamar por livramento e salvação. Creio que essa é uma manifestação de Deus transformando as palavras da boca do prega-

A Sua Língua Está Salva?

dor em fogo e o povo, em lenha. Isso não acontecerá conosco se permitirmos que haja mistura de palavras em nossa boca. Talvez não experimentemos a perfeição completa nesta área, mas é hora de tratarmos esse compromisso de maneira muito mais séria.

Orei por uma unção mais forte, e Deus estava prestes a dá-la, mas primeiro ele disse: "Joyce, é hora de sua língua ser salva."

Quando pedimos algo a Deus, há coisas que devem ser removidas primeiro do caminho para que a unção possa ser liberada.

Ao adquirir uma nova mobília de quarto maior que a anterior, você pode ter de mudar algumas coisas para acomodá-la melhor.

Não fique de luto pelo que tem de acabar; alegre-se pelo que está chegando!

A Língua Pesada de Moisés

> Então, disse Moisés ao SENHOR: Ah! Senhor! Eu nunca fui eloqüente, nem outrora, nem depois que falaste a teu servo; pois sou pesado de boca e pesado de língua.
>
> Êx 4.10

Quando Deus chamou Moisés para ser seu porta-voz a Faraó e aos Israelitas, ele alegou que não era tão eloqüente para fazer o que Deus queria, porque tinha "um problema com a boca."

A resposta de Deus foi ... *Quem fez a boca do homem?... Não sou eu, o Senhor?* (v.11).

Às vezes pensamos que Deus não conhece todas as nossas fraquezas – mas ele conhece.

Quando entendi que Deus me chamou para ministrar sua Palavra em larga escala, eu o lembrei de que sou mulher. Duvido que Deus tenha se

Eu e Minha Boca Grande

esquecido desse fato alguma vez. Eu mesma não via nenhum problema nisso, mas conhecia pessoas que não aceitavam, o que criou uma certa dúvida em mim.

Aquela dúvida tinha de ser eliminada antes que eu pudesse prosseguir. No versículo 12, Deus disse a Moisés: *Vai, pois, agora, e eu serei com a tua boca e te ensinarei o que hás de falar.*

Da próxima vez que Deus chamá-lo para falar por ele e o medo nascer em você, lembre-se: se ele o enviou, ele será com sua boca e o ensinará o que dizer.

Os Lábios Impuros de Isaías

No ano da morte do rei Uzias, eu vi o Senhor [numa visão] assentado sobre um alto e sublime trono, e as abas de suas vestes enchiam [a parte mais sagrada] o templo.

Serafins estavam por cima dele; cada um tinha seis asas: com duas cobriam o [próprio] rosto, com duas cobriam os seus pés e com duas voavam.

E clamavam uns para os outros, dizendo: Santo, santo, santo é o SENHOR dos Exércitos; toda a terra está cheia da sua glória.

As bases do limiar se moveram à voz do que clamava, e a casa se encheu de fumaça.

Então, disse eu: ai de mim! Estou perdido! Porque sou homem de lábios impuros, habito no meio de um povo de impuros lábios, e os meus olhos viram o Rei, o SENHOR dos Exércitos!

Então, um dos serafins voou para mim, trazendo na mão uma brasa viva, que tirara do altar com uma tenaz;

com a brasa tocou a minha boca e disse: Eis que ela tocou os teus lábios; a tua iniqüidade foi tirada, e perdoado, o teu pecado.

Depois disto, ouvi a voz do Senhor, que dizia: A quem enviarei, e quem há de ir por nós? Disse eu: eis-me aqui, envia-me a mim.

A Sua Língua Está Salva?

Então, disse ele: Vai e dize a este povo: Ouvi, ouvi e não entendais; vede, vede, mas não percebais.

Is 6.1-9

O chamado de Isaías é um exemplo excelente da necessidade de Deus purificar a língua antes de usar o homem.

A passagem bíblica me ensina que quando entramos na presença de Deus ele vai lidar conosco. Isaías percebeu que tinha uma língua impura. Creio que o clamor do seu coração era por mudança, por isso Deus lhe enviou ajuda.

A aproximação do serafim com uma brasa viva é registrada aqui como um acontecimento instantâneo, o que nem sempre vai acontecer conosco. Prefeririamos um livramento milagroso, mas, normalmente (creio que na maioria das vezes), o Senhor tem de nos colocar num processo de limpeza. O que precisamos extrair desses versículos é o princípio estabelecido neles.

O versículo 7 declara que o pecado de Isaías foi perdoado, portanto, podemos presumir que sua língua impura era pecadora e precisava ser purificada.

No versículo 8, vemos o chamado de Isaías. Deus disse: *A quem enviarei e quem há de ir por nós?* Isaías respondeu, *Eis-me aqui, envia-me a mim.* Seu coração queria servir ao Senhor, o que Deus já sabia antes de levá-lo à sua presença.

Deus sempre busca alguém que tenha um coração perfeito em relação a ele; não necessariamente alguém que tenha um coração perfeito diante dele. Quando o Senhor tem o coração, ele sempre pode mudar o comportamento.

Essa verdade deveria encorajar quem quer ser usado por Deus, mas sente que tem defeitos demais.

Deus usa vasos rachados!

Vamos a ele como estamos, e ele nos molda e nos transforma em vasos para seu uso. (Is 6.8; 2 Tm 2.21.) Depois que os lábios de Isaías foram purificados, no versículo 9, Deus disse: *Vai e dize a este povo*. O chamado, a unção e a capacitação, às vezes, são concedidos separadamente e em diferentes períodos de tempo.

Chamado, Unção e Capacitação – Lançar um Fundamento antes da Edificação

> Porque ninguém pode lançar outro fundamento, além do que [já] foi posto, o qual é Jesus Cristo (o Messias, o Ungido).
>
> 1 Co 3.11

Deus me chamou e me ungiu. E essa unção aumentava enquanto eu ganhava experiência na ministração e me submetia à obra do Espírito Santo em minha alma. Ele me capacitou, me liberou para seguir em frente e começar a edificar seu reino somente depois que um fundamento adequado foi construído.

Se você quer edificar o reino de Deus, deve gastar tempo em lançar o fundamento adequado. Um dos primeiros passos para lançar esse fundamento é endireitar sua língua.

"Senhor, Salva Minha Língua"!

> E conhecereis a verdade, e a verdade vos libertará.
>
> Jo 8.32

Jeremias, Moisés e Isaías perceberam que Deus tinha de mudar algumas coisas na língua deles para poder cumprir o chamado divino.

O mesmo acontece comigo e com você.

Deus curará nossa língua, mas primeiro devemos entender que necessitamos de cura.

Jesus disse que a verdade nos liberta. O que precisamos dizer ao Senhor é: "Minha língua precisa ser salva"!

[O fato é que] eis que jejuais para contendas e rixas e para ferirdes com punho iníquo; jejuando assim como hoje, não se fará ouvir a vossa voz no alto.

Is 58.4

Capítulo 9
O Jejum Inclui a Língua

Isaías 58 é uma porção poderosa da Palavra que nos ensina o que Deus considera "o verdadeiro jejum." Sugiro que você leia o capítulo inteiro neste ponto, antes de continuar a leitura.

É Isto Que Você Chama de Jejum?

Seria este o jejum que escolhi, que o homem um dia aflija a sua alma [o verdadeiro jejum é meramente mecânico?], incline a sua cabeça como o junco e estenda debaixo de si pano de saco e cinza? [para indicar uma condição que não tem no coração] Chamarias tu a isto jejum e dia aceitável ao SENHOR?

Is 58.5

A cena que encontramos aqui é uma troca entre os israelitas e seu Deus. O povo estava jejuando e sentia que Deus nem notava. Ele disse que estava jejuando com a motivação errada e que havia coisas que precisavam ser tratadas.

O verdadeiro jejum deve ser feito com o propósito de quebrar o poder da carne. Deve ser um tempo de oração especial no qual o povo busca a Deus de maneira mais intensa para alcançar vitória para si mesmo e para os outros.

Meu propósito neste capítulo não é ensinar todos os princípios do jejum de alimento, mas posso dizer-lhe que há várias maneiras de jejuar.

Eu e Minha Boca Grande

Se você está começando um jejum por conta própria ou se está sendo chamado por Deus para começar um, ele o guiará nesse compromisso particular.

Em Isaías 58, as pessoas estavam se abstendo de alimento, mas tinham perdido o foco real. Deus lhes disse que estavam jejuando pelo motivo errado e que aquele jejum não faria com que seus clamores fossem ouvidos. Nesse versículo, Deus pergunta: "O verdadeiro jejum é meramente mecânico – apenas alguma coisa a ser feita como um exercício, sem nenhum significado real"? Então, nos versículos 6 a 9 o Senhor compartilha com eles qual é o seu jejum escolhido.

Liberte-se para Libertar

> Porventura, não é este o jejum que escolhi: que soltes as ligaduras da impiedade, desfaças as ataduras da servidão, deixes livres os oprimidos e despedaces todo jugo [de escravidão]?
>
> Is 58.6

Creio que isso significa que devemos não só libertar uns aos outros, como também não devemos ficar passivos e nos permitir permanecer atados.

Jesus disse: ... *se o filho vos libertar* (fizer de vós homens livres), *verdadeiramente sereis livres* (Jo 8.36).

Creio que devemos cooperar com o Espírito de Deus para quebrar o jugo em nossa vida e na vida daqueles que estão ao nosso redor. Para poder libertar os outros, devemos primeiro nos libertar.

Jejuar para Compartilhar

> Porventura, não é também que repartas o teu pão com o faminto, e recolhas em casa os pobres desabrigados, e, se vires o nu, o cubras, e não te escondas [das necessidades] do teu semelhante?
>
> Is 58.7

Algumas pessoas se envolvem tanto no ministério que se esquecem da própria família e de seus parentes. Nesse versículo, o Senhor deixa claro que não devemos negligenciar um lado para atender o outro.

Aqui o Senhor nos diz que não somente devemos ir ao encontro das necessidades daqueles que estão ao nosso redor no mundo, o pobre e o nu, mas também devemos ir ao encontro das necessidades de nossos semelhantes, nossa própria família e parentes.

Tenho uma tia viúva a quem ministro freqüentemente. Eu achava que era ocupada demais para esse tipo de coisa, mas o Senhor me mostrou que ela é minha "semelhante" e que é minha responsabilidade ministrar às necessidades dela tanto quanto às necessidades dos outros. Se eu ignorar essa responsabilidade, posso ter parte da unção de Deus tirada de minha vida.

Não basta apenas ser chamado. Não basta apenas orar. Não basta apenas ler a Palavra de Deus. Devemos *fazer* o que a Palavra diz. E ela diz que devemos alimentar os pobres, vestir o nu e não nos esconder do nosso semelhante.

Depois de fazer tudo isso, *então* o versículo 8 funcionará para nós.

Receber Graça Requer Dar Graça

> Então, romperá a tua luz como a alva, a tua cura (tua restauração e o poder de uma nova vida) brotará sem detença, a tua justiça (teu direito, teu justo relacionamento com Deus) irá adiante de ti [conduzindo-te à paz e prosperidade], e a glória do SENHOR será a tua retaguarda.
>
> Is 58.8

Tenho estudado bastante o capítulo 58 de Isaías porque há algumas promessas bem definidas nele, mas também há algumas exigências muito claras.

Uma depende da outra.

Agradeço a Deus por sua graça. Sou grata por não ter de tentar fazer tudo sozinha. Sou grata por ele me dar a graça para cumprir o que for que ele me peça para fazer. Dessa forma, Deus recebe o crédito e a glória, não eu.

Isso não significa que eu não tenha nada para fazer, que possa apenas me sentar numa cadeira e esperar que o Senhor faça tudo. Não, eu tenho de cooperar com a graça de Deus. E você também.

Neste capítulo, há muitas promessas de paz e prosperidade para nós, como povo de Deus, mas elas dependem do cumprimento de certas coisas, como vemos nesse versículo.

Não Julgue, Não Despreze – E Vigie Sua Língua

Então, clamarás, e o SENHOR te responderá; gritarás por socorro, e ele dirá: Eis-me aqui. Se tirares do meio de ti o jugo [onde quer que o encontres], o dedo que ameaça [em direção ao oprimido ou temente], o falar injurioso.

Is 58.9

Se nossas orações não estão sendo ouvidas, pode ser que não estejamos fazendo o que Deus nos disse claramente para fazer. E uma delas é tirar do meio de nós o jugo e o dedo que ameaça.

Isso é julgamento.

Quando você e eu pararmos de julgar uns aos outros, as coisas começarão a melhorar em nossa vida.

Também devemos parar de falar falso, áspera, injusta e malignamente. A *Versão King James* desse versículo traduz esta última frase como "falar coisas vãs." O que é falar em vão? É a conversa inútil e sem sentido.

Se não tiver cuidado, posso ser culpada de falar coisas vãs. Posso começar a falar e não parar mais. Às vezes, em minha vida pessoal e em meu ministério, falo desde a hora em que me levanto até quando vou dormir. Há momentos em que já falei tanto que fico enjoada e de cabeça quente. Fico mental e fisicamente exausta.

Sabe o que o Senhor me disse sobre isso? Ele disse: "A razão de estar tão cansada o tempo todo é porque você fala demais"!

Então, fiz o que esse versículo diz e aprendi a controlar a minha fala. Como ministra do Evangelho, fui chamada para o serviço de Sua Majestade, o Rei. Como embaixadora real (2 Co 5.20.), as pessoas exigem e esperam que eu exerça um controle cuidadoso sobre minhas palavras.

O mesmo é verdade para você e para todos os que servem o Senhor.

Abençoe, não Amaldiçoe

Se abrires a tua alma ao faminto e fartares a alma aflita, então, a tua luz nascerá nas trevas, e a tua escuridão será como o meio-dia.

O SENHOR te guiará continuamente, fartará a tua alma até em lugares áridos e fortificará os teus ossos; serás como um jardim regado e como um manancial cujas águas jamais faltam.

Os teus filhos edificarão as antigas ruínas; levantarás os fundamentos de muitas gerações e serás chamado reparador de brechas e restaurador de veredas para que o país se torne habitável.

Is 58.10-12

Que promessas maravilhosas!

Quando é que você e eu podemos esperar que todas essas bênçãos do Senhor venham sobre nós e nos cubram?

Eu e Minha Boca Grande

Quando pararmos de julgar uns aos outros e abandonarmos toda forma de expressão inútil, falsa, áspera, injusta e má.

Devemos parar de esperar que Deus derrame suas bênçãos sobre nós enquanto derramamos maldições sobre os outros.

Não Vale a Pena?

Se desviares o pé de profanar o sábado e de cuidar dos teus próprios interesses no meu santo dia; se chamares ao sábado [espiritualmente] deleitoso e santo dia do SENHOR, digno de honra, e o honrares não seguindo os teus caminhos, não pretendendo fazer a tua própria vontade, nem falando palavras vãs [torpes],então, te deleitarás no SENHOR. Eu te farei cavalgar sobre os altos da terra e te sustentarei com a herança [prometida a ti] de Jacó, teu pai, porque a boca do SENHOR o disse.

Is 58.13-14

Basicamente, o que o Senhor está dizendo nesta passagem é: "Se você realmente quer desfrutar as minhas bênçãos, não fique por aí fazendo suas próprias coisas. Ao contrário, descubra o que quero que você faça – e, então, faça. Não busque o seu próprio prazer, mas busque, em primeiro lugar, a minha vontade. Não fale suas próprias palavras vãs, mas fale minhas palavras poderosas porque elas não voltarão vazias, sem produzir nenhum efeito." (Is 55.11.)

Se realmente queremos as bênçãos do Senhor, não podemos continuar dizendo o que queremos, a qualquer hora que quisermos. Temos de usar a língua para bendizer a Deus, aos outros e a nós mesmos.

Temos de levar as bênçãos de Deus à nossa Igreja, à nossa casa, ao nosso trabalho, à nossa sociedade.

O Jejum Inclui a Língua

Precisamos tanto pregar às pessoas quanto viver dignamente diante delas. Não devemos "exalar mau cheiro," mas exalar um aroma suave e agradável aos outros e a Deus. (2 Co 2.14-15.)

O Senhor me disse: "Não cheire mal, exale o bom perfume. Exale o fruto do Espírito, que é bondade, benignidade, amor, alegria, paz e todos os outros frutos."

Enquanto vivemos, há um aroma que exala de nós. Embora não sintamos o cheiro, o Senhor sente. Ele tem um nariz muito sensível. Quando oro, não quero que minhas orações exalem mau cheiro nas narinas do Senhor por causa das palavras que tenho pronunciado fora do meu momento de oração.

A Bíblia diz que Deus conhece cada palavra que ainda não foi pronunciada por nossos lábios. *Ainda a palavra não me chegou à língua [ainda não pronunciada], e tu, SENHOR, já a conheces toda.* (Sl 139.4) Ele sabe não somente o que dissemos ontem e o que estamos dizendo hoje, mas também o que vamos dizer amanhã – até mesmo o que estamos pensando. É por isso que nossas orações precisam ser a do salmista: *As palavras dos meus lábios e o meditar do meu coração sejam agradáveis na tua presença, SENHOR, rocha [firme, impenetrável] minha e redentor meu! (Sl 19.14).*

A morte e a vida estão no poder da língua; o que bem a utiliza come do seu fruto.

Pv 18.21

Capítulo 10
A Língua Difamadora

Se você ouviu ou leu qualquer ensinamento sobre a língua, provavelmente passou por esse versículo várias vezes. Já o mencionamos neste estudo, mas ele é tão vital que vale a pena revê-lo.

Pense sobre ele por um momento: *A morte e a vida estão no poder da língua.* Temos alguma idéia do que significa? Significa que você e eu passamos pela vida com um poder incrível – como o fogo, a eletricidade ou a energia nuclear –, bem debaixo do nosso nariz, um poder que pode produzir vida ou morte, dependendo de como é usado.

Com esse poder, temos a capacidade de fazer um grande bem ou um grande mal, um grande benefício ou um grande malefício.

Podemos usá-lo para criar morte e destruição ou para criar vida e saúde. Podemos falar de doença, enfermidade, dissensão e desastre ou de saúde, harmonia, exortação e edificação.

A escolha é nossa.

Semear e Colher

> Não vos enganeis: de Deus não se zomba; pois aquilo que o homem semear, isso também ceifará.
> Porque o que semeia para a sua própria carne da carne colherá corrupção; mas o que semeia para o Espírito do Espírito colherá vida eterna.
>
> Gl 6.7-8

Observe que a segunda parte de Provérbios 18.21 diz que comeremos do fruto de nossa língua. Isso lembra o princípio espiritual de que colhemos aquilo que plantamos. Se semearmos para a carne, da carne ceifaremos ruína, decadência e destruição, mas, ao semearmos para o Espírito, do Espírito ceifaremos vida, saúde e abundância.

Sabia que você tem o poder de fazer alguma coisa por seu futuro? Esse poder está bem debaixo do seu nariz.

Recentemente, estava lendo um livrinho sobre como, neste dia e nesta hora, Deus está procurando por águias que voem alto, homens e mulheres íntegros, que tomarão posição, manterão suas palavras, honrarão seus compromissos e viverão em santidade. O livro dizia: "É terrivelmente difícil ser uma águia que voe alto quando você está rodeado por tantos urubus".

Às vezes é difícil manter o controle da língua, ser positivo, louvar e glorificar ao Senhor quando ao redor todos preferem ceder à murmuração, às queixas e a todo tipo de negativismo.

Você está usando sua língua para exortar e edificar ou para desencorajar e destruir? Você a usa para edificar a si mesmo e aos outros ou para destruir? Você tem alguma idéia do quanto as palavras de sua boca são importantes?

Como já enfatizamos, se há uma área na qual precisamos exercer disciplina e domínio próprio é na escolha de nossas palavras.

Compartilhei com você como o Senhor uma vez me disse que o meu pior problema era que eu falava demais. O que dizia não era ruim, era só tagarelice. Você sabe o que a Bíblia diz sobre isso? Ela diz que se falarmos demais vamos ter problemas. (Ec 5.1-7.)

É o que tenho aprendido em meus anos de ministério. Se falar demais fico desconfortável e perco a minha paz – não por falar alguma coisa má, mas simplesmente porque preciso ficar quieta e ouvir.

Dizer uma Boa Palavra

> [O Servo do Senhor diz] O SENHOR Deus me deu língua de eruditos, para que eu saiba dizer boa palavra ao cansado. Ele me desperta todas as manhãs, desperta-me o ouvido para que eu ouça como os eruditos [como um que é ensinado].
>
> Is 50.4

Precisamos ser treinados a manter um ouvido afinado com Deus. Também precisamos ser como Tiago nos orienta: prontos para ouvir e tardios para falar .(Tg 1.19.)

O que você acha que aconteceria se pensássemos antes de falar? Será que evitaríamos falar o que não devíamos?

O profeta diz que o Senhor lhe deu língua de eruditos – um aprendiz, alguém a quem é ensinado – para que ele soubesse como "dizer boa palavra" ao cansado.

Você vê pessoas cansadas no Corpo de Cristo? Sim, o mundo tem problemas sérios, mas também há muitos que são nascidos de novo, cheios do Espírito de Deus, mas que estão necessitados.

Como uma ministra, não vejo a alegria que deveria estar em evidência no povo de Deus. De acordo com a Bíblia, *a alegria do Senhor é a nossa força*. (Nm 8.10.) A alegria não é encontrada nas circunstâncias, ela é encontrada em Cristo, o Mistério das Eras, que habita em nós. Você e eu estamos aprendendo a encontrar alegria somente em Cristo. Enquanto estivermos no processo, falar palavras no tempo devido nos impedirá de enfraquecer.

Não É Conveniente Que Estas Coisas Sejam Assim

> A língua, porém, nenhum dos homens é capaz de domar; é mal incontido, carregado de veneno mortífero.
>
> Com ela, bendizemos ao Senhor e Pai; também, com ela, amaldiçoamos os homens, feitos à semelhança de Deus.

Eu e Minha Boca Grande

> De uma só boca procede bênção e maldição. Meus irmãos, não é conveniente que estas coisas sejam assim.
>
> Tg 3.8-10

Durante os anos de minha vida e ministério, aprendi muito sobre fofoca, julgamento, crítica e sobre achar falha nos outros. Tenho aprendido que essas coisas desagradam a Deus. Incomoda a ele o fato de que, com a mesma boca que usamos para bendizê-lo e louvá-lo, amaldiçoamos e condenamos nossos companheiros, feitos à sua imagem, assim como nós.

Isso não é fácil de fazer, não é? Você sabe por quê? Por causa do orgulho. Orgulho é uma atitude da qual pensamos que estamos limpos e, se as pessoas não estão de acordo, achamos que deve haver alguma coisa errada com elas.

A Bíblia diz que *todos os caminhos do homem são puros aos seus olhos.* (Pv 16.2.)

Seria bom se pudéssemos escolher três ou quatro amigos, sentar com eles várias vezes ao ano e perguntar: "Como você me vê"? Porque nos vemos muito diferentes da maneira como os outros nos vêem. Acho que um dos maiores favores que podemos fazer a Deus e a nós mesmos é entender que temos muito de caminhar a fim de nos tornarmos perfeitos. Bem, não há nada errado em ser imperfeito *se* tivermos um coração perfeito em relação a Deus.

O Senhor olha o nosso coração e nos considera perfeitos enquanto buscarmos o caminho da perfeição. Se fôssemos tão humildes a ponto de nos ver como realmente somos, não seríamos tão rápidos em criticar ou espalhar aquela crítica, aquela difamação.

Espalhando a Difamação

No dicionário grego encontrei uma definição da palavra "difamadores": aqueles que são culpados por julgar os outros e espalhar a crítica.[1]

A Língua Difamadora

Depois de ler essa definição, comecei a pensar sobre a palavra "espalhar." Espalhar não significa sair e contar alguma coisa a outras dez pessoas. Alguma coisa pode ser espalhada apenas por uma pessoa.

Uma vez passei por uma experiência em que tive de superar a fofoca e a mania de levar rumores a outras pessoas. Compartilhava confidências com meu marido e, embora soubesse que Dave não passaria adiante o que conversamos, dei-me conta de que expondo-o a essas histórias (verdadeiras ou não) eu estava correndo o risco de envenenar-lhe o espírito.

Você sabia que quando ouvimos algo sobre outra pessoa, mesmo que não acreditemos, isso contamina o nosso espírito? Da próxima vez que nos encontrarmos, vamos olhá-la de um jeito diferente. Por quê? Porque nosso espírito foi contaminado.

De acordo com o *Webster*, a palavra "difamar" é derivada da palavra em latim *scandalum*, significando "escândalo," que por sua vez é derivada da palavra grega *skandalon*, que significa "armadilha."[2] A palavra grega traduziu "difamadores" na *Versão King James* de 1 Timóteo 3.11 como *diabolos*, que *Strong* define como "um maledicente: especialmente Satanás... o falso acusador, diabo, difamador."[3]

Como constatei, o dicionário grego declara que essa palavra é um adjetivo e significa "difamador, que acusa falsamente"; sua forma no substantivo é traduzida como "'difamadores'... quando se refere àqueles que julgam o comportamento e conduta dos outros e espalham suas insinuações e críticas na Igreja." Para mais informação, veja "acusador" ou "diabo."[4] A palavra traduzida como "diabo" em português é exatamente a mesma palavra grega *diabolos*, que significa "um acusador, um difamador."[5]

Você percebe o que isso significa? Significa que quando difamamos alguém ou acusamos outra pessoa falsamente estamos permitindo que o diabo use nossa boca. Como Tiago nos diz, *não é conveniente que estas coisas sejam assim*. (Tg 3.10.)

Agora, por favor, compreenda. Não estou trazendo esta mensagem porque não tenha problema nessa área. Eu tenho. Por isso, se você também tem, não se sinta culpado. A razão para que o Senhor revele esta mensagem é porque deseja fazer alguma coisa boa em nossa vida, mas a língua está afetando a unção.

Muitos de nós, provavelmente, recebemos revelação para não julgar os outros ou falar asperamente. Embora rispidez não signifique exatamente difamar, essa palavra tem o mesmo peso. Se tenho a oportunidade de encorajá-lo, de ajudá-lo, de fazer você se sentir bem, fazer com que creia que consegue, mas escolho desencorajá-lo, destruí-lo, fazer você se sentir miserável, levá-lo a querer desistir, então há algo errado com minha língua.

Há muitas pessoas no Corpo de Cristo que usam a língua para propósitos errados, para maldizer e criticar, humilhar e desencorajar os outros.

Preocupa-me ver tantas pessoas que vão até o altar para buscar conforto e libertação por terem sido feridas por outros dez, quinze ou até vinte anos atrás.

Com muita freqüência, não conseguem tomar posse das coisas boas de Deus porque alguém as feriu ou mesmo quebrantou seu espírito, fazendo com que elas ficassem com uma imagem inadequada. Às vezes, estão tão deprimidas e desesperadas que não conseguem superar sua condição.

Você não faz idéia do quanto me dói ver pessoas que mal conseguem ficar de pé para se aproximar e conversar com alguém que tenha autoridade espiritual como eu, simplesmente por causa da maneira como foram tratadas no passado – geralmente por alguém de casa ou da Igreja.

Meu irmão, minha irmã, não é conveniente que essas coisas sejam assim!

Não Quebrante o Espírito das Pessoas

Pais, não irriteis os vossos filhos [não sejam duros com eles ou implicantes] para que não fiquem desanimados. [Não quebrantem o espírito deles.]

Cl 3.21

A Língua Difamadora

Eu fiz isso com meu filho mais velho. Era ignorante e não sabia nada. Gostaria de ter criado meus dois primeiros filhos tão corretamente como criei meus dois últimos.

Somos produtos do ambiente de onde viemos. Graças a Deus, Jesus abre aquelas portas e podemos ser livres. Ele é o Curador dos quebrantados de coração. (Is 61.1.) A Bíblia diz que ele é tão manso que ... *não esmagará a cana quebrada...* (Is 42.3.) Jesus tem o bálsamo curador para corpos e espíritos quebrados. (Jr 8.22; Ml 4.2.)

Se você vem a Jesus ferido e machucado, ele o curará, para que vá e leve a cura para outras pessoas. Aqueles que você feriu também o perdoarão e receberão cura.

Hoje, meu filho mais velho trabalha para a "Vida na Palavra". Temos um ótimo relacionamento. Nós nos amamos, mas eu o feri, fazendo as mesmas coisas mencionadas nesse versículo. Eu o tinha importunado, incomodado e irritado. Estava constantemente instigando-o, provocando-o, falando sempre a mesma coisa.

Antes que meu filho e eu pudéssemos ser libertos daquela prisão, tive de aprender a lição contida nessa passagem. Espero que você aprenda mais rapidamente do que eu.

Não quebrante o espírito de outra pessoa!

"Seja Amoroso"!

Esposas, sede submissas [subordinadas e adaptadas] ao próprio marido, como convém no Senhor.

Maridos, amai vossas esposas [sejais amorosos e solidários com ela] e não as trateis com amargura.

Cl 3.18-19

Nessa passagem, vemos como maridos e esposas devem tratar e considerar um ao outro no Senhor.

As esposas devem se "submissas" aos seus maridos. Hoje eu sei que ninguém quer se submeter a ninguém. Isso faz parte da nossa natureza, mas também faz parte do nosso chamado em Cristo Jesus ... *sujeitando-vos uns aos outros no temor de Cristo* (o Messias, o Ungido). (Ef 5.21.)

Da mesma forma, os maridos devem ser amorosos e solidários. Ser "solidário" não significa que o marido vá sentir pena de sua esposa; significa que deve ter consideração por ela, não sendo áspero, indelicado ou amargo.

Então, vemos aqui um relacionamento recíproco. A esposa se submete ao marido, e ela se torna amorosa com ele. O marido, por sua vez, ama sua esposa e a considera. Eles aprendem a tratar e a falar um ao outro com amor, dignidade e respeito.

Compreendi que Deus queria que eu fosse amorosa com meu marido, mas não sabia como e resisti. Durante a semana toda ele continuou repetindo "seja amorosa, seja amorosa, seja amorosa", mas eu não conseguia entender.

Quase no fim da semana, uma senhora me deu uma pulseira com as letras K-U-I-P-O gravadas. Quando perguntei o que significava, ela disse: "Ah, é a palavra havaiana para 'amorosa'".

Eu disse: "Puxa". Percebi, então, que Deus quis mostrar-me o que esteve falando comigo a semana inteira! O presente foi uma forte confirmação.

Se há algo que aprendi de Deus é que ele não desiste! Ele é mais determinado do que qualquer um que conheço.

De repente, entendi que no seu tempo perfeito, Deus estava me libertando da aspereza.

O Senhor continuou transmitindo a mensagem "seja amorosa" de maneira incomum. O bracelete era tão apertado que, ao colocá-lo no pulso, não conseguia tirá-lo mais. Tive de usar sabonete e creme, e deu muito trabalho para tirá-lo. Em um ano e meio, só o tirei duas ou três vezes. Assim, durante anos carreguei o sinal de Deus em mim, dia e noite: "amorosa"!

Essa palavra pode não ser a mais apropriada, mas nessa passagem é exatamente o que Deus está dizendo aos maridos e às esposas: "Sejam amorosos"! Se você quiser ter um marido amoroso, seja uma esposa amorosa. Se você quiser ter uma esposa amorosa, seja um marido amoroso.

Experimente!

Funciona!

No começo, eu não sabia como ser amorosa. Ainda estou aprendendo, mas estou muito melhor. Apenas seja doce, carinhosa, agradável e incentivadora!

O Espírito é a Chave

> O espírito firme sustém o homem na sua doença, mas o espírito abatido, quem o pode suportar?
>
> Pv 18.14

Você compreende o que diz esse versículo? Diz que, independentemente, do que aconteça na vida de uma pessoa, ela pode suportar, se tiver um espírito forte para sustentá-la nos momentos difíceis. Se o espírito dela, entretanto, estiver fraco ou ferido, vai ter dificuldades para suportar qualquer coisa.

Sabe o que há de errado com muitas pessoas no Corpo de Cristo, hoje, e por que parece que não conseguem lidar com seus problemas? É porque estão fracas – fracas no espírito.

A Bíblia diz que devemos suportar as debilidades dos fracos. (Rm15.1.) Devemos exortá-los e ampará-los. (1 Ts 5.14.)

Vemos em Romanos 12.8 que um dos dons ministeriais para a Igreja é o de exortar. Exortadores são fáceis de reconhecer porque, quando estamos perto deles, nos fazem sentir melhores, pelas palavras que dizem e por suas atitudes. Parece que lhes é natural levantar, encorajar e fortalecer os outros com sua presença e personalidade.

Podemos não "estar na posição de exortadores", mas podemos incentivar. Podemos exortar. Podemos construir, edificar, levantar e transmitir vida. Podemos nos recusar a ser maldizentes. Podemos nos recusar a fazer o trabalho sujo do diabo com nossa língua.

Reanime-se no Senhor

> Davi muito se angustiou, pois o povo falava de apedrejá-lo, porque todos estavam em amargura, cada um por causa de seus filhos e de suas filhas; porém Davi se reanimou no SENHOR, seu Deus.
>
> 1 Sm 30.6

Você pode estar pensando: "Bem Joyce, esta é uma boa mensagem mas a verdade é que eu preciso de alguém para *me reanimar*".

Deixe-me dizer-lhe o que fazer nessa situação. Eu sei porque já estive nela muitas vezes. Em meu ministério, costumava ficar tão desencorajada e deprimida que só queria desistir. Parecia não haver ninguém para me reanimar.

Fiquei tão "estressada em fazer tudo perfeito" – trabalho árduo, viagem cansativa. Naquele tempo eu ainda criava os filhos, lançava a base para um novo ministério, tomava incontáveis decisões. Estava ficando física, mental e emocionalmente esgotada. Sentia que necessitava de incentivo, mas nem sempre havia alguém para isso.

Na verdade, eu ficava com raiva porque não havia ninguém para me incentivar. Pensava em tudo que fazia pelos outros e o pouco que eles faziam por mim.

A Língua Difamadora

Sabe o que esse tipo de pensamento faz? Enche a alma de amargura e ressentimento. Não é a reação que o Senhor quer que tenhamos. Deus quer que nos acheguemos a ele e encontremos força e encorajamento nele.

Finalmente aprendi que, em vez de ficar com raiva, amarga e ressentida, deveria buscar a Deus com uma oração sincera e humilde, e as coisas melhorariam muito para mim. Eu dizia: "Senhor, preciso ser reanimada," e, em uma semana ou duas, Deus providenciava seis ou sete pessoas para que me reanimassem. Eu comecei a receber cartões, presentes e flores.

Parecia que chovia de gente ao meu redor com palavras e gestos de ânimo. Mas, toda vez que me permitia ficar ressentida e começava a murmurar sobre a falta de incentivo, as coisas pioravam.

No momento você pode sentir que ninguém se importa com você, que ninguém o valoriza. Talvez seja porque as pessoas são tão egocêntricas que não sabem valorizar ninguém; ou, talvez, não compreendam sua necessidade. Se você se tornar amargo e ressentido, elas nunca aprenderão, e você nunca receberá delas o que mais deseja. Na verdade, sua amargura e ressentimento podem destruir você e seu relacionamento. Mas, se você levar seu fardo ao Senhor, ele o ouvirá e o ajudará. Deus tem milhares de exortadores no Corpo de Cristo. Ele enviará pessoas para levantar, reanimar e edificar você.

Primeiro, ore; depois, plante.

Não fique sentado esperando alguém encorajar você. Não se recuse a encorajar os outros só porque você mesmo não está sendo encorajado. Não espere que venham até você; vá até eles.

Lembre-se: a regra espiritual é, você colhe aquilo que semeia. No momento, você pode estar colhendo o fruto de sementes que semeou no passado, por recusar-se a encorajar os outros, mas isto pode mudar. Mãos à obra e semeie nova safra!

Comece a ser um exortador!

Língua Difamadora ou Língua Tranqüilizadora?

De acordo com a concordância, a palavra grega traduzida como *exortar* é *parakaleo*, e significa "chamar para perto".⁶ Está relacionada a *parakletos*, traduzida como "Consolador," na *Versão King James*, e é usada para referir-se ao Espírito Santo.⁷ Quando chamamos uma pessoa para fortalecê-la e encorajá-la a seguir Jesus, porque Deus é com ele, para fazer grandes coisas por intermédio dele, estamos engajados na exortação.

O que acontece? O bálsamo curador de Gileade começa a gotejar na alma ferida. De repente, ela começa a pensar: "Sim, creio que posso conseguir".

É exatamente isso o que o Espírito Santo, o Consolador, faz por nós: ele vem para nos confortar, encorajar, incentivar a continuar, vem para nos impulsionar.

É o que devemos fazer uns pelos outros.

O que tudo isso significa? Significa que podemos escolher. Podemos abrir a boca e usá-la como *diabolos* para difamar, acusar, achar falhas, espalhar insinuações e críticas ou podemos usá-la como *parakletos*, para encorajar, fortalecer, ajudar, inspirar e consolar.

Quando abrimos a boca, o que sai pode ser do diabo ou do Espírito Santo. O que vai ser?

> Longe de vós, toda amargura, e cólera (paixão, ódio, temperamento difícil), e ira (raiva, animosidade), e gritaria (briga, contenda, polêmica), e blasfêmias (linguagem abusiva), e bem assim toda malícia (rancor, má vontade e torpeza de qualquer tipo).
>
> Ef 4.31

Capítulo 11
Palavras Irritadas e Impacientes Causam Problemas

Cada palavra desse versículo identifica as causas dos nossos problemas: ira, paixão, raiva, temperamento difícil, ressentimento, ódio, animosidade, gritaria, briga, contenda, polêmica, blasfêmia, maledicência, linguagem abusiva ou difamação, malícia, rancor, má vontade ou torpeza de qualquer tipo.

Que lista!

Quais dessas coisas são os maiores problemas para você?

No meu caso, era raiva e temperamento ruim. Eu tinha um temperamento terrível, mas não tenho mais. No entanto, o mais difícil de superar e tratar foi a minha tendência em ser áspera e dura.

Foi um luta para renunciar a isso e aprender a me tornar mansa. Se o Senhor pôde fazer um milagre nessa área por mim, ele pode fazer por você também.

Você e eu não temos de ter temperamentos ruins. Não temos de ficar loucos toda vez que alguma coisa não acontece do nosso jeito. Temos a capacidade, no Espírito Santo, de ser ajustados e adaptados. (Rm 12.16.)

Tardio para Falar e Tardio para Se Irar

Sabeis estas coisas, meus amados irmãos. Todo homem, pois, seja pronto para ouvir (ouvinte disponível), tardio para falar, tardio para se irar.

Tg 1.19

Tiago nos diz para ser prontos para ouvir, mas tardios para falar, ofender e nos irar. Desses, o mais importante – e quase sempre a parte mais difícil – é ser tardio para falar. Ao soltar a língua, outras coisas começarão a se soltar com ela.

Ficamos contrariados quando planejamos algo e aparece alguma coisa para nos atrapalhar. Quando acontece isso comigo, aprendi a respirar fundo, fechar a boca por um minuto, controlar-me e, então, seguir em frente.

Digo: "Tudo bem, Senhor, com sua ajuda posso fazer isto. Não tenho de ter tudo do meu jeito. De acordo com Romanos 12, posso me adaptar. Posso mudar meus planos. De todo jeito meus planos foram mudados, então eu também posso deixar o barco correr".

"Deixe o Barco Correr"

Para mim, "deixar o barco correr" tem duplo sentido, por causa de um incidente que acontecia com freqüência quando meus filhos eram pequenos.

Parecia-me que toda vez que nos assentávamos para uma refeição alguém derramava um copo de leite. Sempre que acontecia, o diabo usava isso para me perturbar. Imediatamente, eu ficava com raiva: "Não acredito! Olhe o que você fez! Passei a tarde toda arrumando o jantar e você acaba de estragá-lo"!

Palavras Irritadas e Impacientes Causam Problemas

Mas não era a minha família que estava estragando as refeições, era outra pessoa – e não era Satanás! Eu achava que o problema era o leite derramado, mas na verdade era eu.

Naquele tempo, tomávamos nossas refeições usando muitos pratos e talheres. Quando o leite derramava, escorria por debaixo de todos aqueles pratos e talheres e seguia direto para "fenda" no tampo da mesa em que ela é expandida.

Na verdade, eu achava que o diabo projetava esse tipo de mesa com fenda só para me deixar louca. Hoje, entendo que foi Deus quem a projetou daquela forma (pelo menos a minha) para ajudar a crucificar o espírito impaciente em mim.

O que mais me incomodava quando o leite derramava era que escorria pelos pés da mesa e de todos. Tinha de abrir a mesa, limpar a fenda (onde normalmente havia muita sujeira acumulada, o que fazia uma grande lambança) e me ajoelhar e engatinhar para debaixo da mesa para limpá-la e limpar o chão. Nossos filhos eram pequenos, por isso a cena do leite derramado virou rotina. Quando um deles derramava alguma coisa, na mesma hora já sabiam que eu teria um ataque. Eu me levantava num pulo, com raiva, e corria para pegar um pano. Eu me colocava de quatro e engatinhava debaixo da mesa, com as crianças chutando minha cabeça. Definitivamente, eu não era uma "feliz dona de casa"! Na verdade, ficava tão louca que quase explodia.

Sabia que quando ficamos loucos assim, numa situação fora do controle, é o momento de aprender a aceitar com alegria?

"Aceitação com alegria." Essa é uma frase pequena e útil que aprendi.

Em tais situações, o Senhor me ensinou a dizer: "Bem, aconteceu de novo e só Deus pode resolver. E, se ele não resolver, então devo aceitar com alegria."

Só não sabia era como fazer isso quando tinha de ficar de joelhos debaixo da mesa para limpar o leite derramado. Eu ficava lá embaixo tendo um ataque, gritando e berrando – agindo como um adulto mimado.

Durante uma dessas cenas, o Espírito Santo falou comigo, enquanto estava bem debaixo da mesa: "Sabe, Joyce, nem todo ataque do mundo fará com que esse leite derramado suba pelos pés da mesa, atravesse-a e volte para dentro daquele copo".

Em outras palavras, ele me dizia que o acesso de raiva não iria reverter a situação.

Essa é uma dentre várias lições, que desejo compartilhar com você neste capítulo.

Não importa quão enraivecido fique, quão irado se torne, quão impaciente possa estar, não importa que tipo de fúria você sinta ou que tipo de ataque possa armar – nada disso vai mudar o quadro.

Se você é pego num engarrafamento, pode fazer um estardalhaço, fumegar, berrar e irar-se durante uma hora inteira e não vai adiantar nada, porque não sairá de lá nem um minuto mais cedo. Você terá dor de cabeça, dor no pescoço, dor nas costas, desordem estomacal, erupção de pele, pressão alta, possivelmente uma úlcera e até um colapso nervoso, se não tiver antes um ataque do coração ou derrame.

Vale a pena?

O Senhor me disse debaixo da mesa naquela noite: "Sabe Joyce, você também pode aprender a deixar o barco correr. Se o leite escorre pelos pés da mesa, vá com ele e não perca sua paz".

Foi aí que comecei a aprender a "deixar o barco correr." Muito mais coisas agradáveis saem de minha boca quando deixo o barco correr ao invés de ir contra ele.

Seja Adaptável e Ajustável

> Tende o mesmo sentimento uns para com os outros; em lugar de serdes orgulhosos (esnobes, soberbos, metidos), condescendei com [pessoas, coisas] o que é humilde; não sejais sábios aos vossos próprios olhos.
>
> Rm 12.16

De acordo com o apóstolo Paulo, podemos aprender a ser adaptáveis e ajustáveis. Também podemos ser maleáveis e flexíveis.

Não quer dizer que não haja coisas às quais tenhamos de resistir ou mudar; ou que agora vamos nos deitar e deixar que o mundo e o diabo nos atropelem.

Mas há questões menores que surgem no nosso dia-a-dia, roubam nossa paz e sobre as quais não podemos fazer absolutamente nada. Precisamos aprender como lidar com essas pequenas irritações, como nos acalmar e parar de ter um ataque toda vez que a mínima coisa dá errado.

Em Efésios 4.31, Paulo lista as causas dos nossos problemas, como amargura, cólera, ira, gritaria, blasfêmias e malícia. Creio que cada uma delas tem uma raiz e uma cura. Creio que a raiz é o orgulho, a auto-suficiência e o egocentrismo Em outras palavras, temos problemas porque queremos o que queremos quando queremos.

Como Paulo aponta em Romanos 12.16, temos uma opinião tão inflada sobre nós mesmos que pensamos que temos o direito de ter tudo do nosso jeito. É por isso que ficamos tão loucos quando as coisas não acontecem do jeito que queremos ou esperamos. Ira gera palavras iradas, e quase sempre acabamos ferindo os outros.

De onde Vem a Contenda?

De onde procedem guerras (brigas e discussões) e contendas (discórdias, disputas) que há entre vós? De onde, senão dos prazeres que militam na vossa carne? Cobiçais [desejais o que os outros têm] e nada tendes; matais [odiar é matar], e invejais, e nada podeis obter [a gratificação, o contentamento e a felicidade desejada]; viveis a lutar e a fazer guerras. Nada tendes, porque não pedis; [Ou] pedis [a Deus] e não recebeis, porque pedis mal, para esbanjardes [quando conseguis o que pedis] em vossos prazeres.

Tg 4.1-3

Se pararmos para analisar, temos um problema tremendo com o egoísmo, não é mesmo? Esse pecado era o meu problema, por isso precisava tanto ser tratada nessa área.

Não sei se você é como eu, mas minha carne (minha natureza carnal) ama a si mesma. Ela sempre quer as coisas da sua própria maneira, mas não posso deixá-la satisfazer-se o tempo todo.

E essa negação causa conflito.

Você conhece as duas razões principais pelas quais as pessoas discutem? Primeiro, para provar que estão certas, porque sempre querem estar certas; segundo, para fazer as coisas à sua maneira, porque sempre querem sua própria maneira em tudo.

Precisamos aprender que Deus é o único que pode nos colocar no caminho certo. Quando as coisas não acontecem da maneira que queremos, temos apenas que nos acalmar e exercitar a humildade um pouco mais. Devemos entender que as menores coisas que nos irritam e pelas quais discutimos não fazem tanta diferença assim na vida. O que importa é a unção de Deus; e a única coisa que vai manter essa unção é nossa disposição de vivermos juntos em paz e harmonia.

Se quisermos a unção de Deus, devemos viver juntos em paz e harmonia com nossos irmãos e irmãs em Cristo!

O Amor não é Egoísta

> O amor é paciente, é benigno; o amor não arde em ciúmes, não se ufana, não se ensoberbece,
>
> não se conduz inconvenientemente (não é arrogante ou orgulhoso), não procura os seus interesses, não se exaspera, não se ressente do mal...
>
> 1 Co 13.4-5

A solução para o problema da discussão é o amor. Temos de aprender a amar a paz e a harmonia com todo o nosso ser. Temos que amá-las tanto a ponto de preferi-las a estar certos ou fazer as coisas do nosso jeito.

Isso é o que Paulo quis dizer quando declarou: *Dia após dia morro!* (1 Co 15.31.) Morrer para nós mesmos é algo que você e eu temos de praticar diariamente para ter paz e harmonia.

Lembro-me de uma discussão que Dave e eu tivemos alguns anos atrás sobre a cor das listras que colocaríamos em nossa *Van*. Será que seria importante, dali a seis meses ou seis anos, se as listras da *Van* estivessem da maneira que eu queria, sabendo que isso causou uma guerra entre nós?

Não ia ficar pendurada na janela olhando as listras o tempo todo. E, mesmo que ficasse, logo estariam cobertas de sujeira, a ponto de não mais se ver a cor delas.

Por que começamos guerras por coisinhas, ninharias? Por duas razões: porque queremos estar certos e porque queremos do nosso jeito, o que é egoísmo. Qual é a solução para o problema do egoísmo? Amor; o amor que se importa mais pelas opiniões e desejos dos outros do que pelo seu próprio.

Neste estudo, o Senhor está pedindo para você e para mim, pelo poder do Espírito Santo, para fazermos algumas escolhas. Devemos escolher subir mais alto, desistir de tentar ter tudo do nosso jeito o tempo todo e lembrar que o que quer que esteja em nosso coração sai da nossa boca. (Mt 12.34.)

A paz tem um preço, e, se escolhermos pagá-lo, as recompensas valem a pena.

Segui a Paz

> Porque o reino de Deus não é comida nem bebida, mas justiça (aquele estado que torna uma pessoa aceitável a Deus), e paz [no coração], e alegria no Espírito Santo.
> Aquele que deste modo serve a Cristo é agradável a Deus e aprovado pelos homens.
> Assim, pois, seguimos as coisas da paz e também as da edificação (desenvolvimento) de uns para com os outros.
>
> Rm 14.17-19

A *versão King James* do versículo 19 diz: *Portanto, seguimos as coisas que fazem a paz e as coisas das quais um possa edificar ao outro.*

Creio que o que o Senhor está nos revelando nessa passagem é a necessidade vital de andarmos na paz. De acordo com Efésios 6.15, a paz é parte da armadura de Deus com a qual devemos nos cingir.

Palavras Irritadas e Impacientes Causam Problemas

Deus tem abençoado o nosso ministério. Uma das razões é porque ele está baseado em certos princípios que nos foram revelados pelo Senhor e estabelecidos por nós quando começamos.

Quando Jesus enviou seus discípulos de dois em dois para pregar e curar, ele ordenou que fossem a cada cidade, encontrassem uma casa digna para ficar e dissessem às pessoas: "Paz seja contigo." Jesus continuou dizendo que se fossem aceitos deveriam permanecer lá e ministrar, mas se não fossem aceitos deveriam sair e sacudir o pó dos seus pés. (Mt 10.11-15.)

Eu ficava imaginando por que Jesus teria dito isso, então o Senhor me revelou que se os discípulos permanecessem em uma casa ou cidade que estivesse em contenda, eles não conseguiriam fazer nenhum trabalho lá. Sabe por quê? Porque contenda ofende o Espírito Santo. Quando a paz sai, o Espírito Santo sai, e ele é o único que faz o verdadeiro trabalho. Quando você imagina Jesus ministrando aos outros, como você o vê? Certamente não era de maneira apressada, como normalmente fazemos. Pelo contrário, você pode imaginá-lo ministrando com uma paz tranqüila e serena.

Na época da Páscoa, assisti a parte do filme *Jesus de Nazaré*. O que mais me impressionou foi a resposta de Jesus às pessoas ao seu redor. Algumas reagiam violentamente contra ele, xingando-o e até mesmo jogando coisas nele, mas não importava como o tratassem; ele nunca perdia o controle, ficava chateado ou revidava. Eu admirei o trabalho maravilhoso que aqueles cineastas fizeram ao retratar a paz interior e o equilíbrio que nosso Senhor manteve, apesar das circunstâncias.

Esse é um traço que você e eu temos que desenvolver. Como embaixadores de Cristo, devemos ser parecidos com nosso Mestre.

Se quisermos fazer qualquer coisa por nosso Senhor e Salvador, precisamos aprender a ter fome e sede de paz, porque é nessa área que Satanás está roubando do povo de Deus. Se tivermos um espírito pacífico, teremos uma língua pacífica.

Cuidado com Sua Linguagem

Sabemos, porém, que a lei é boa, se alguém dela se utiliza de modo legítimo.

1 Tm 1:8

Gestos, tom de voz e expressões faciais transmitem a mensagem tanto quanto as palavras. É possível dizer todas as coisas certas e, mesmo assim, transmitir uma mensagem completamente errada.

No início do nosso casamento, quando meu marido me pedia para fazer algo que realmente não queria fazer, eu dizia: "Sim, querido". Respondia num tom tão sarcástico que ele sabia o que realmente eu queria dizer. Ele sabia que eu não estava dizendo: "Sim, querido, você é um marido tão maravilhoso que, mesmo que não queira fazer o que pediu, farei porque eu o amo". Ao contrário, ele sabia que realmente eu estava dizendo: "Sim, querido, farei como você pediu, mas somente porque tenho de fazer".

As palavras disseram sim, mas o tom de voz e a expressão facial transmitiram uma mensagem bem diferente.

Dois Tipos de Ira

Porque a ira do homem não produz a justiça de Deus [desejos e pedidos].

Portanto, despojando-vos de toda impureza e acúmulo de maldade, acolhei, com mansidão (gentileza, modéstia), a palavra em vós implantada [em seu coração], a qual é poderosa para salvar a vossa alma.

Tg 1.20-21

Nesta passagem, Tiago nos diz que a ira do homem não produz a justiça de Deus, e é verdade. É por isso que devemos controlar nossa ira e outras emoções perigosas. Mas há uma ira justa. Creio que há momentos em que não faz mal ficar furioso e demonstrar ira.

Por exemplo, Jesus ficou irado e purificou o templo porque compravam, vendiam, corrompiam a casa de Deus (Jo 2.13-17) e não cuidavam das pessoas genuinamente. Ele entrou naquele lugar virando as mesas, expulsando os animais com um chicote, indignado com o que estava acontecendo, e não creio que Jesus estava sussurrando quando fez isso. Ele estava irado e tinha todo o direito de se sentir assim. A ira de Jesus era uma ira justa. Também temos o direito de sentir o mesmo tipo de ira.

Deus nos deu sentimentos, e a ira é um deles. Sem ira, não poderíamos discernir se alguém está abusando de nós. Se eu pregasse que nunca devemos nos irar, estaria prescrevendo algo impossível. O sentimento da ira deve se submeter ao fruto espiritual do domínio próprio.

Essa diferença pode ser decidida pelo que é chamado na Bíblia de "instrução da bondade".

A Instrução da Bondade

> Fala com sabedoria, e a instrução da bondade está na sua língua [que aconselha e instrui].
>
> Pv 31.26

Um dos maiores problemas para controlar a ira e minhas palavras era o fato de nos primeiros anos de minha vida ter sido maltratada e abusada. Como resultado, tornei-me uma pessoa áspera e dura, determinada a não permitir que ninguém me ferisse de novo, e essa atitude influenciou minhas palavras e meu discurso.

Eu e Minha Boca Grande

Embora tentasse dizer coisas certas e agradáveis aos outros, por causa da dureza e da amargura que estavam escondidas em minha alma, as palavras saíam ásperas e duras.

Não importa quão certo seu coração possa estar diante do Senhor; se você tem orgulho, ira ou ressentimento em seu espírito, não vai conseguir abrir a boca sem expressar esses traços e sentimentos negativos. Por quê? Porque, como Jesus nos disse, a boca fala do que está cheio o coração. (Mt 12.34.)

O Senhor tinha uma obra para fazer em mim. A gentileza se tornou um assunto-chave em minha vida. Parte do que Deus me revelou em sua palavra sobre esse assunto foi o que está escrito em Provérbios 31, o capítulo que fala da "mulher virtuosa". Nele, o escritor diz que na língua está a instrução da bondade.

Quando li isso, pensei: "Oh! Deus, eu tenho tudo em minha língua menos a instrução da bondade". Parecia que estava tão dura por dentro que toda vez que abria a boca saía um martelo.

Você pode estar na mesma situação. Pode ter sido maltratado e abusado como eu e, por isso, esteja cheio de ódio, ressentimento, desconfiança, ira e hostilidade. Ao invés de bondade e gentileza, você está cheio de aspereza e dureza. Ao invés da lei da bondade, você vive pela lei da selva.

O Jugo da Bondade

> Tomai sobre vós o meu jugo e aprendei de mim, porque sou manso (dócil) e humilde (simples) de coração; e achareis descanso (alívio, sossego e refrigério) para a vossa alma.
> Porque o meu jugo é suave (útil, bom – não áspero, pesado, difícil, mas confortável, gracioso e agradável), e o meu fardo é leve.
>
> Mt 11.29-30

Palavras Irritadas e Impacientes Causam Problemas

Antes de o Senhor fazer uma obra em minha língua, eu era terrível. Não podia nem mesmo dizer às crianças para jogar fora o lixo sem parecer um sargento. Quem quer viver com uma pessoa assim? Eu não queria ser daquele jeito, sempre tão irritada e impaciente.

Você é assim? Se for, posso dizer que você está se tornando mais infeliz que qualquer outra pessoa. Não estou dizendo isso para trazer-lhe condenação, mas para derramar um pouco de luz na raiz de muitos de seus problemas.

Nosso principal problema está bem debaixo do nosso nariz – em nossa boca. Como vimos, Tiago nos diz que nenhum homem pode domar a língua, mas há algo que podemos fazer. Podemos submetê-la a Deus, pedindo que seu Espírito tome o controle de nossa língua e traga-a em submissão à sua vontade.

Isso é parte do que Jesus estava falando quando nos disse para tomar seu fardo.

Seja Gentil, mas Firme!

A sabedoria, porém, lá do alto é, primeiramente, pura (não contaminada); depois, pacífica, indulgente (tem consideração, gentil), [está disposta a ser] tratável, plena de misericórdia e de bons frutos, imparcial, sem fingimento (livre de dúvidas, hesitação).

Tg 3.17

Lembro-me que estava em casa procurando a palavra "gentil" na concordância de *Strong* e dizendo: "Senhor, tu tens de me ajudar"!

Eu pensei que nunca poderia ser gentil.

Finalmente, o Senhor começou a fazer uma obra em mim na área da gentileza.

O único problema era que, como tantas outras pessoas no Corpo de Cristo, eu era tão radical que não conseguia "alcançar um meio-termo." Uma vez notei que estava insegura em uma área e pensei de tinha que ir numa direção totalmente oposta.

"Ajustei" e "adaptei" demais. Eu me tornei "tão gentil", "boa" e "paciente" que não exercia nenhuma disciplina sobre meu filho mais novo, que nasceu depois que meus outros filhos estavam crescidos.

Também afundei no meu relacionamento com os outros.

Deixei que as coisas saíssem do controle em meu casamento, em minha casa e em meu ministério. Só que estava tão acomodada e compreensiva que me tornei ineficaz ao lidar com pessoas ou situações que pediam uma mão firme. E continuava dizendo para mim mesma: "Joyce, você se superou! Você lidou com aquela situação tão bem! Você foi tão *doce*"!

Fez-me sentir bem pensar que era tão "doce" – principalmente quando lidava com meu filho. Mas ele não estava mudando, pelo menos para melhor. Na verdade, estava ficando pior.

Um dia fiquei louca com ele e o avisei: "Olhe, nunca mais faça isso de novo"! E ele não fez. Busque sempre o equilíbrio no amor firme e demonstre uma atitude branda e suave.

Hoje, meu filho é precioso para mim, mas há momentos em que tenho de dizer-lhe de maneira firme: "Basta, eu amo você, mas não vou tolerar esse tipo de comportamento".

Aprendi com minhas experiências que um extremo é tão ruim quanto o outro. O que devemos aprender em tudo isso é o *equilíbrio*.

Se, por um lado, não podemos ser ásperos e duros, por outro, não devemos ser fracos e excessivamente suaves. Não devemos ser irritáveis e impacientes, irando e agindo com emoção; tampouco ser tão mansos a ponto de nos tornarmos capachos e muros de lamentação dos que querem levar vantagem sobre nós.

Há tempo para ser pacientes e tolerantes, e há tempo para ser firmes e decididos. Há tempo para "não nos irar" e tempo de demonstrar justa indignação. É sábio saber quando fazer qualquer coisa.

Semeado em Paz pelos Que Estão na Paz

Ora, é em paz que se semeia o fruto da justiça (de conformidade com a vontade de Deus em obras e pensamentos), para (o fruto da semente) os que promovem a paz [neles mesmos e nos outros, aquela paz que significa concórdia e harmonia entre indivíduos com uma mente pacífica, livre de temores, paixões e conflitos morais].

Tg 3.18

Este é um versículo muito importante.

Você sabe por que Satanás tenta nos deixar preocupados antes de irmos à igreja e por que ele tenta de tudo para deixar o pregador preocupado antes que ele suba ao púlpito?

Porque o diabo não quer que nos reunamos em uma atitude de paz. Ele sabe que se estivermos perturbados as palavras que ouvirmos não nos atingirão. Elas não criarão raízes. Nossas palavras deveriam carregar vida, e não tumulto.

Esse versículo diz que a colheita da justiça é o fruto da semente semeada em paz por aqueles que trabalham e promovem a paz em si mesmos e nos outros.

Não me admira o Senhor ter-me dito para não tentar promover a paz na vida dos outros sem antes tirar a contenda da minha vida.

Eu e Minha Boca Grande

Já imaginou por que você ouve uma mensagem pregada por pessoas diferentes, em momentos diferentes, e não tem nenhum efeito e, de repente, você ouve a mesma mensagem e ela tem um grande significado para você?

É por causa da unção que está na mensagem, quando é pregada por alguém que semeia a semente enquanto vive em paz, alguém que não tem contenda em sua vida.

Isso não significa que o pregador seja perfeito. Para que a palavra do Senhor crie raízes, deve ser semeada num solo de paz, por alguém que esteja andando em paz.

Por isso, se você pretende ou planeja trabalhar para o Senhor, deve tirar a contenda de sua vida.

Simples assim.

Nós Temos uma Escolha

... escolhei, hoje...

Js 24.15

O diabo tenta, de todas as formas, nos deixar preocupados e, realmente, consegue. Mas não é porque ele nos força; é porque nós escolhemos.

A escolha é sempre nossa.

Você sabia que a maneira como reagimos em cada situação é uma escolha? Cada um de nós tem atitudes. Atitudes produzem respostas para situações. Nós respondemos o dia todo, todos os dias, mas nem sempre da mesma forma.

Por que duas pessoas diferentes podem estar no mesmo engarrafamento e uma reagir de um jeito e a outra reagir de forma completamente diferente? É por causa de suas atitudes diferentes que as levam a fazer escolhas diferentes.

Palavras Irritadas e Impacientes Causam Problemas

É por isso que algumas vezes podemos falar alguma coisa para duas pessoas diferentes, e uma delas ficará perturbada e ofendida enquanto a outra não se importará nem um pouco.

Tenho uma personalidade muito franca. Algumas pessoas gostam disso e outras, não. Uma pessoa pode pensar que o que acabei de dizer é maravilhoso, enquanto outra pode achar que é terrível. Por quê? Porque uma pode ser segura e a outra, insegura.

Da mesma forma, você e eu temos uma escolha sobre as reações em várias situações da vida.

"Mas, Joyce, isso não pode ser tão simples quanto fazer uma escolha. Como você diz, as pessoas são diferentes e, portanto, elas têm maneiras diferentes de perceber, de experimentar e de se relacionar com as influências exteriores."

Sim, eu sei que temos um perfil psicológico diferente, e cada um de nós foi exposto a experiências diferentes na vida que nos formaram e moldaram de formas diferentes. Sei que a maioria de nós carrega mágoas e outros tipos de feridas mentais, emocionais e espirituais e que não há dois de nós exatamente iguais. Mas a verdade é que, independentemente de nossas diferenças, temos o poder de fazer uma escolha sobre como vamos responder às situações e circunstâncias externas.

Nossas feridas e dores passadas podem fazer com que tenhamos reações negativas, mas superamos essas respostas negativas aprendendo a palavra de Deus e escolhendo agir de acordo com ela, em vez de *re-*agir às circunstâncias.

Deus nos criou com o livre-arbítrio, com a capacidade e a liberdade de tomar nossas próprias decisões. Acho que a palavra que Deus está compartilhando conosco em nosso tempo é a mesma que ele falou aos filhos de Israel nos dias de Josué: *Escolhei, hoje.* (Js 24.15.)

> A língua serena [com seu poder de cura] é árvore de vida, mas a perversa quebranta o espírito.
>
> Pv 15.4

Capítulo 12
Não Fale Palavras Torpes

Esse versículo espelha a mesma mensagem de Provérbios 18.21, que diz que com a língua ministramos vida ou morte.

É por isso que por toda a palavra de Deus nos é dito que devemos cuidadosos ao usar a língua e prestar a atenção em nossas palavras. Paulo disse, em Efésios 4.29: *Não saia da vossa boca nenhuma palavra torpe, e sim unicamente a que for boa para edificação, conforme a necessidade, e, assim, transmita graça aos que ouvem.*

Você e eu nunca devemos falar coisas que façam com que as pessoas desistam. Não devemos nos deixar poluir com palavras negativas que saem de nossos lábios. O escritor de Provérbios nos diz que a língua perversa quebranta o espírito. Observe que a palavra "espírito" é escrita com o "e" minúsculo, porque não se refere ao Espírito Santo, e sim ao espírito humano. A depressão é outro problema criado e aumentado por palavras e pensamentos errados – os nossos ou de outras pessoas.

Não usemos a língua para ferir, quebrantar ou deprimir, mas para curar, restaurar e encorajar.

Engrandecendo o Bem sobre o Mal

> Não te deixes vencer do mal, mas vence (domine) o mal com o bem.
>
> Rm 12.21

O que creio que o Senhor quer nos ensinar é que, em cada situação, há algo bom e ruim, assim como nas pessoas há o bem e o mal.

Todos os dias haverá algumas coisas que nos agradam e haverá coisas que podemos dispensar.

Por sermos filhos da luz, para engrandecer o Senhor, Ele quer que aprendamos a engrandecer o bem na vida nos outros e em nós mesmos.

Nesse sentido, engrandecer significa tornar maior. Quando levantamos nossa voz e dizemos "Senhor, nós te engrandecemos", tornamos Deus maior que todos os nossos problemas. Isso é o que ele quer que façamos com o bem em nossa vida – torná-lo maior que o mal.

Novamente, essa é uma escolha que precisamos renovar constante e continuamente para que ela se torne um hábito em nós.

Superando a Fortaleza do Negativismo

> Porque as armas da nossa milícia não são carnais [armas feitas de carne e sangue], e sim poderosas em Deus, para destruir fortalezas, anulando nós sofismas.
>
> 2 Co 10.4

A Bíblia fala sobre fortalezas que são construídas dentro de nós – especialmente na mente. Até que tais fortalezas sejam destruídas, elas vão nos causar problemas.

O Senhor me mostrou que uma fortaleza é como um muro de tijolos. Ela é construída com um tijolo de cada vez, pelo revezamento de certos tipos de pensamentos. Poderíamos dizer que, por termos os mesmos pensamentos, repetidamente, por um período de tempo, criamos sulcos na mente. Uma vez estabelecidos, esses sulcos ou formas habituais de pensar e ver as coisas se tornam muito difíceis de mudar.

Uma vez aconselhei uma jovem que tinha uma auto-imagem terrível. Isso aconteceu porque durante toda a vida foi-lhe dito, repetidamente, que não prestava e nunca seria grande coisa.

Quando ficou mais velha, ela começou a reprisar aquela mensagem: "Eu não sou boa. Nunca serei grande coisa. Deve haver alguma coisa errada comigo, senão as pessoas me amariam e me tratariam bem".

Entendo como essas fortalezas são construídas na vida de uma pessoa porque aconteceu comigo. Como disse, eu era muito negativa nos pensamentos e palavras; porque muitas coisas negativas aconteceram comigo e me foram ditas.

Cresci num ambiente negativo – cercada de pessoas negativas, que olhavam as coisas de forma negativa. Aprendi a ser da mesma maneira, e quando cresci senti que estava me protegendo por ter uma visão negativa da vida. Pensava que se não esperasse que nada de bom acontecesse comigo, não ficaria desapontada quando acontecesse. Lembre-se, eu era deprimida e difícil de lidar; também tinha muitas doenças físicas associadas a pessoas negativas.

Em meu ministério, conheço pessoas assim o tempo todo. Assim como eu, elas foram criadas em um ambiente negativo, por isso têm um espírito negativo. Não é agradável conviver com pessoas assim. Não são agradáveis nem para si mesmas; mas há uma maneira de evitar que nos tornemos negativos – ou superar isso, se já somos.

Um Relatório Negativo

> E, diante dos filhos de Israel, infamaram a terra que haviam espiado, dizendo: A terra pelo meio da qual passamos a espiar é terra que devora os seus moradores; e todo o povo que vimos nela são homens de grande estatura.
>
> Nm 13.32

Eu e Minha Boca Grande

Aqui está uma verdade que eu gostaria que você tomasse posse: Deus considera negativos os relatórios ruins. É por isso que o título deste capítulo é "Não fale palavras torpes".

Além de não falar negativamente sobre as circunstâncias como os espias hebreus fizeram e foram corrigidos pelo Senhor, também não devemos falar negativamente sobre outras pessoas.

Você conhece alguém que seja perfeito? Já encontrou o pastor perfeito, a Igreja perfeita ou o lugar de trabalho perfeito? Você vive numa vizinhança perfeita? Alguém ao seu redor mantém a casa, o carro e o quintal em perfeitas condições? Tudo ligado a esse reino natural tem um pouco de decadência.

O apóstolo Paulo nos diz que, quando Jesus voltar para nos receber, seremos transformados de corruptíveis para incorruptíveis (1 Co 15.51-55), mas, enquanto estivermos aqui neste reino terreno, sempre teremos de lidar com a corrupção.

Assim como nós, muita pessoas são um "saco de mistura." A maioria tem alguma coisa boa e má, tal como nós. Deus não quer que aumentemos o mal nos outros ou em nós mesmos. Ele quer que aumentemos o bem.

O apóstolo Pedro diz que o amor cobre uma multidão de pecados. (1 Pe 4.8.) É o que você e eu devemos fazer. Devemos cobrir – não expor – as imperfeições das pessoas.

Não estou falando de fechar os olhos para tudo de ruim nesta vida ou nunca reconhecê-lo e lidar com ele. O que estou tratando neste estudo não é das nossas ações externas, mas dos pensamentos que ocupam a mente e das palavras que saem de nossa boca.

Não importa se uma pessoa está agindo mal comigo ou com você. Contar a todo mundo o que está acontecendo conosco não vai melhorar nada a situação. Há somente uma coisa que vai fazê-la melhorar: voltarmo-nos para o Senhor e clamar pela sua ajuda.

Não Fale Palavras Torpes

A razão pela qual precisamos parar de correr para os outros, queixando-nos da nossa situação, é porque, quando agimos assim, outro tijolo é acrescentado à fortaleza que está sendo construída em nossa vida.

Isso não significa que nunca devemos falar sobre nossa situação ou problema. Se precisarmos de aconselhamento nessa área, devemos buscá-lo. Se pudermos falar do problema com alguém que tem o poder de mudar isso em nós, então, por todos os meios, devemos buscá-lo. Mas só levar histórias vãs sobre uma situação negativa não vai melhorá-la, só vai piora-la.

Não estou dizendo que nunca devemos falar sobre nossos problemas. Estou dizendo que precisamos *falar com propósito*.

Em Mateus 12.36, Jesus disse que daremos conta de nossas palavras frívolas, o que a versão *King James* chama de *toda palavra vã*. Precisamos manter essa verdade em nossa mente antes de abrir a boca. Esse foi o erro que os espias cometeram e foram corrigidos pelo Senhor – por entregar um relatório ruim, negativo – a Moisés e ao povo de Israel.

Relatório Bom ou Ruim?

> Ao cabo de quarenta dias, voltaram de espiar a terra, caminharam e vieram a Moisés, e a Arão, e a toda a congregação dos filhos de Israel no deserto de Parã, a Cades; deram-lhes conta, a eles e a toda a congregação, e mostraram-lhes o fruto da terra.
>
> Relataram a Moisés e disseram: Fomos à terra a que nos enviaste; e, verdadeiramente, mana leite e mel; este é o fruto dela.
>
> O povo, porém, que habita nessa terra é poderoso, e as cidades, mui grandes e fortificadas; também vimos ali os filhos de Anaque [de grande estatura e coragem]

Então, Calebe fez calar o povo perante Moisés e disse: Eia! Subamos e possuamos a terra, porque, certamente, prevaleceremos contra ela.

Porém os homens que com ele tinham subido disseram: Não poderemos subir contra aquele povo [de Canaã], porque é mais forte do que nós.

E, diante dos filhos de Israel, infamaram a terra que haviam espiado, dizendo: A terra pelo meio da qual passamos a espiar é terra que devora os seus moradores; e todo o povo que vimos nela são homens de grande estatura.

Também vimos ali gigantes (os filhos de Anaque são descendentes de gigantes), e éramos, aos nossos próprios olhos, como gafanhotos e assim também o éramos aos seus olhos.

Nm 13.25-28; 30-33

Quando os doze espias voltaram da expedição de reconhecimento na terra prometida, somente Josué e Calebe deram um relatório favorável. Os outros dez produziram um relatório ruim ou negativo.

Não foram todos para o mesmo lugar e não experimentaram as mesmas coisas? Então por que essa divergência em seus relatórios?

Você sabia que cinco pessoas podem ser confrontadas com a mesma tribulação, quatro podem ser totalmente derrotadas, simplesmente, por causa da sua atitude e uma pode sair vitoriosa pela mesma razão?

Por que a diferença? Porque uma escolhe engrandecer o bom, enquanto as outras escolhem engrandecer o ruim.

Lembre-se: assim como na história dos gigantes de Canaã, tudo o que é engrandecido se torna ainda maior aos olhos daquele que está engrandecendo.

Seja o que for que estejamos falando – isso é o que vai se realizar –, seja negativo ou positivo.

Mantenha o Vaso Purificado e Preparado para Uso do Mestre

> Ora, numa grande casa não há somente utensílios de ouro e de prata; há também [utensílios] de madeira e de barro. Alguns, para honra; outros, porém, para desonra.
>
> Assim, pois, se alguém a si mesmo se purificar [do que é impuro e vil, que se separa do contato com influências corruptas e contaminadas] destes erros, será utensílio para honra, santificado e útil ao seu possuidor, estando preparado para toda boa obra.
>
> 2 Tm 2.20-21

É difícil não falar sobre os nossos problemas. Você sabe por quê? Porque queremos compaixão. Se continuarmos a falar para todo mundo como nos sentimos e como as coisas estão horríveis, não vai demorar muito e não haverá mais ninguém com quem conversar.

É possível cansar as pessoas com nosso relatório negativo – mesmo aquelas que mais se importam conosco.

Não importa o quanto nos amem, elas não querem ouvir aquele mesmo relatório negativo dia após dia. Uma razão é porque já têm seus próprios problemas e não querem nem precisam suportar os nossos.

Isso é compreensível.

Quantos de nós pode verdadeiramente dizer que quer ouvir os problemas de alguém o tempo todo? Se a questão é essa, talvez *nós* é que precisemos de aconselhamento e oração!

Você e eu temos duas responsabilidades em relação aos "relatórios ruins": primeiro, não produzi-los; segundo, não recebê-los.

Cada um de nós tem a responsabilidade de não falar negativamente e não permitir que falem conosco dessa maneira.

É nossa responsabilidade ajudar-nos uns aos outros de forma piedosa, evitando pensar e falar negativamente sobre os outros, sobre nós mesmos ou sobre as situações que todos temos de enfrentar.

Quando as pessoas vinham fazer fofoca, eu pensava que era obrigada a escutá-las. Tenho de admitir que havia uma parte de mim que queria ouvir; então eu me escondia atrás da desculpa: "Bem, não posso dizer-lhes que não me contem essas coisas porque não quero ferir seus sentimentos."

Não é o que o apóstolo Paulo nos diz nesses versículos que vimos em Efésios 4. Paulo disse que não devemos permitir que nem a nossa mente nem a dos outros seja poluída.

De acordo com o que Paulo escreveu ao seu jovem discípulo Timóteo, você e eu devemos ser vasos limpos. Devemos nos manter puros e ajudar os outros a se manterem puros também.

Para isso devemos pensar e falar da maneira que Deus quer que pensemos e falemos. Devemos estar sempre conscientes de nossos pensamentos e palavras, porque Deus ouve e registra cada um deles em seu memorial.

O Memorial Escrito de Deus

> Então, os que temiam ao SENHOR falavam uns aos outros; o SENHOR atentava e ouvia; havia um memorial escrito diante dele para os que temem ao SENHOR e para os que se lembram do seu nome.
>
> Ml 3.16

Não Fale Palavras Torpes

Creio que alegra o coração de Deus quando ele nos ouve dizer a coisa certa, e também acho que ele fica muito infeliz quando usamos a língua para fofocar, murmurar, acusar, maldizer e causar problemas para nós mesmos e para os outros, quando aumentamos nossos problemas em vez de exaltar a Deus.

Pense nisto: você e eu temos a oportunidade de agradar o coração de Deus, engrandecendo-o em nossas conversas. Podemos andar como filhos da luz, sendo sal e luz para o mundo, engrandecendo o nome do Senhor ou podemos engrandecer o inimigo e sua obra.

Lembro-me de como eu era antes que o Senhor me revelasse muitas dessas verdades que estou compartilhando com você neste livro. Eu era tão negativa e crítica...

Podia entrar na casa de alguém que havia sido redecorada recentemente que em vez de admirar todo o bom trabalho que havia sido feito, tudo o que eu conseguia ver era uma área minúscula na qual o papel de parede não estava perfeito.

"Bem, você tem de consertar aquilo," eu diria, ignorando totalmente todas as coisas boas que haviam sido feitas.

Por acaso eu tenho uma daquelas personalidades que mostram os problemas. Isso não é de todo ruim porque, se ninguém mostrasse os problemas em minha vida e em meu ministério, nós teríamos problemas. O Senhor me mostrou que não posso sair por aí engrandecendo os problemas e ainda ter paz e alegria. Embora haja problemas em minha vida e em meu ministério, não vai abençoar, ajudar, edificar ou encorajar, a mim ou qualquer outra pessoa, se eu engrandecer tudo de negativo que vejo.

Não significa que eu ignore os problemas e nunca lide com eles. Significa que tenho de colocá-los na perspectiva adequada.

Eu e Minha Boca Grande

Hoje, quando entro na casa de alguém que foi decorada recentemente, embora ainda veja imperfeições mínimas, não mais me concentro nelas. Pelo contrário, eu digo alguma coisa assim: "Adorei seu carpete"! Encontro algo pelo qual ser positiva e encorajadora e, mais tarde, em particular, posso apontar o problema mínimo com o papel de parede dizendo: "Talvez você queira colar este pequeno rasgo".

Como vê, há uma forma adequada de lidar com assuntos sensíveis. A Bíblia diz que Deus vê como lidamos com todas as circunstâncias da vida.

Dê o Bom Relatório, não o Relatório Ruim

> Os amalequitas habitam na terra do Neguebe; os heteus, os jebuseus e os amorreus habitam na montanha; os cananeus habitam ao pé do mar e pela ribeira do Jordão.
>
> Nm 13.29

Quando os doze homens voltaram com seus relatórios, depois de espiar a terra que o Senhor lhes tinha prometido dar, eles falaram sobre os diferentes povos que a ocupavam: os amalequitas, os heteus, os jebuseus, os amorreus e os cananeus.

Cada um desses "eus" representava um problema diferente para os filhos de Israel.

É por isso que dez dos doze relataram: "Sim, é uma terra que mana leite e mel, *mas*..." e são sempre os "mas" que nos causam problemas na vida.

Esses dez desafiaram os milhões de israelitas que estavam decidindo se deveriam atravessar o rio Jordão e tomar posse da herança. Quando começaram a ouvir o "relatório ruim" dos dez espias medrosos, eles ficaram impregnados do mesmo espírito e começaram a murmurar, a duvidar e a temer.

Como vimos no versículo 30, Calebe viu o que estava acontecendo e, imediatamente, levantou-se e tentou acalmar o povo assegurando-lhes que, com a ajuda do Senhor, eles seriam capazes de ir e dominar a terra. No entanto, em vez de ouvir o bom relatório de Calebe e Josué, o povo de Israel preferiu ouvir o relatório ruim dos dez.

Todos os dias temos a oportunidade de gerar um relatório bom ou ruim, de engrandecer o Senhor ou engrandecer o inimigo. É por isso que o Senhor nos deu esta palavra: para que escolhamos usar a língua, não para falar o mal, mas para falar o bem.

Tempo de Estar Calado e Tempo de Falar

> Tudo tem o seu tempo determinado, e há tempo para todo propósito debaixo do céu...
> ... tempo de estar calado e tempo de falar;
>
> Ec 3.1,7

Como vemos nessa passagem de Eclesiastes, há tempo para tudo. Há tempo para lidar com os problemas e há tempo para deixá-los. Há tempo para mostrar a alguém que seu papel de parede está descascado e há tempo para ficar calado sobre isso.

É sábio saber quando falar e quando não falar, mas, como regra geral, é sempre tempo de exortar e encorajar os outros.

Mark Twain costumava dizer que ele conseguia viver dois meses com um bom elogio. Eu creio que isso seja verdade para quase todos.

O diabo está fazendo um ótimo trabalho ao destruir e derrotar todo mundo. Ele não precisa da nossa ajuda. Precisamos estar do lado de Deus, não do inimigo.

Isso é parte de nosso problema. Nossa natureza caída sempre se inclina para o lado errado das coisas. Ela quer sempre encontrar falhas e engrandecer os problemas, mas nossa natureza nascida de novo quer abençoar e engrandecer o que é bom.

Como sempre, a escolha final é nossa.

Eu e Minha Boca Grande

Esqueça o Passado e Prossiga

> Irmãos, quanto a mim, não julgo havê-lo alcançado [ainda]; mas uma coisa faço [essa é minha única aspiração]: esquecendo-me das coisas que para trás ficam e avançando para as que diante de mim estão, prossigo para o alvo, para o prêmio [supremo e celestial] da soberana vocação de Deus em Cristo Jesus.
>
> Fp 3.13-14

O diabo quer que cada um de nós se concentre em quantas vezes falhamos, em vez de em quantas vezes acertamos. Quer que focalizemos nossa atenção no quanto ainda temos de andar, em vez do quanto já avançamos.

Mas o Espírito de Deus quer que nos concentremos em nossas forças, e não em nossas fraquezas; nas vitórias, e não nas derrotas; nas alegrias, e não nos problemas. É por elas que deveríamos estar engrandecendo – pelas obras do Senhor e não pelas obras do diabo; e precisamos ajudar os outros a aprender a fazer isso também.

Freqüentemente as pessoas dizem: "Joyce, eu não sei qual é o meu ministério." Eu lhes digo: "Bem, até que o Senhor revele a você, por que não tenta o ministério de exortação, encorajamento e edificação"?

Estas coisas são sempre nosso ministério. É sempre o nosso chamado estimular os outros a buscar o que elas podem ser em Cristo Jesus e encorajá-las a se esforçarem rumo ao prêmio.

Não vamos aumentar o ruim – vamos aumentar o bom! Vamos aumentá-lo falando sobre ele, sendo positivos em nossos pensamentos, atitudes, posturas, palavras e ações.

Como compartilhei com você, eu era tão negativa que não conseguia sequer ver o positivo. Eu lutava, lutava e lutava, até que finalmente o

Senhor me disse: "Joyce, se me der sua mente, algum dia você será tão positiva quanto é negativa agora".

O Senhor queria que eu desistisse de tentar fazer as coisas pela vontade da carne e começasse a confiar somente nele para me ajudar.

Se você é negativo, não sugiro que faça um plano de dez passos para se tornar uma pessoa positiva. Pelo contrário, sugiro que você entregue sua vontade ao Senhor, que é todo positivo. Diga-lhe: "Senhor, eu quero ser como tu. Ajude-me a ser positivo e não mais ser negativo". Peça a Deus para mudar você! (Fp 1.6.)

Faça o que Deus disser a você para fazer. Coopere com seu Espírito e siga sua liderança e orientação, enquanto você passa da escuridão para a luz, do negativismo para o positivismo, da morte para a vida.

A Parte de Deus e a Nossa Parte

> Minha aliança com ele [minha parte com Levi] foi de vida e de paz; ambas lhe dei eu para que [a parte dele] me temesse [reverenciasse e adorasse]; com efeito, [o sacerdote] ele me temeu e tremeu por causa do meu nome.
>
> A verdadeira instrução esteve na sua boca, e a injustiça não se achou nos seus lábios; andou comigo em paz e em retidão e da iniqüidade apartou a muitos.
>
> Porque os lábios do sacerdote [do levita] devem guardar o conhecimento, e da sua boca devem os homens procurar a instrução, porque ele é mensageiro do SENHOR dos Exércitos.
>
> Ml 2.5-7

Essa passagem lida com os sacerdotes e o tipo de língua que eles têm de ter. Por ser uma ministra do Evangelho, este assunto é sempre de grande interesse para mim.

De acordo com Apocalipse 1.6, todos nós somos reis e sacerdotes porque Jesus Cristo ... *nos constituiu reino (uma raça real), sacerdotes para o Seu Deus e Pai, a Ele a glória e o domínio pelos séculos do séculos. Amém (assim seja).* Por isso, cada um de nós deve prestar bastante atenção nesse versículo, que nos revela que Deus tem uma aliança com seus sacerdotes.

Numa aliança, cada um tem sua parte. Em nossa aliança com o Senhor, ele tem uma parte e nós temos outra. Ele se compromete a nos dar vida e paz; nossa parte é reverenciá-lo, temê-lo, honrá-lo e admirar o seu nome.

Se tivermos reverência e temor ao Senhor, se o honrarmos e exaltarmos o seu nome, então, não mais usaremos a língua para falar mal do seu povo, a quem servimos como seus sacerdotes.

A Raiz das Más Conversações

> Portanto, és indesculpável, ó homem, quando julgas, quem quer que sejas; porque, no que julgas a outro, a ti mesmo te condenas; pois praticas as próprias coisas que condenas [que tu censuras e denuncias].
>
> Rm 2.1

Você sabia que a fofoca, a difamação, a maledicência e a falsidade têm uma raiz como uma árvore, uma flor ou uma erva? A raiz dessas coisas é o julgamento, e a raiz do julgamento é o orgulho. Quando falamos mal dos outros é porque pensamos que somos melhores que eles.

Uma vez eu estava falando de alguém e o Espírito do Senhor me disse: "Quem você pensa que é"?

Aos olhos de Deus, pecado é pecado e errado é errado. Tudo isso é desagradável e detestável para Deus. E também é perigoso. É por isso que Jesus nos avisou em Mateus 7.1-2:

Não Fale Palavras Torpes

Não julgueis, para que não sejais julgados.
Pois, com o critério com que julgardes, sereis julgados; e, com a medida com que tiverdes medido, vos medirão também.

E nos versículos 3-5 da *Bíblia Viva* ele continua dizendo:

> E por que se preocupar com um cisco no olho dum irmão, quando você tem uma tábua no seu próprio olho? Você diria: 'Amigo, deixe-me ajudar você a tirar esse cisco do seu olho', quando você mesmo nem pode enxergar, com uma tábua em seu próprio olho? Fingido! Livre-se da tábua primeiro, assim você poderá enxergar para ajudar seu irmão.

Minha paráfrase dessa passagem é: "Por que tentar tirar a trave do olho do seu irmão quando você tem um poste telefônico no seu"?

Eu entendo o que o Senhor quis dizer quando me disse: "Quem você pensa que é"? porque continuou dizendo: "É do meu filho que você está falando"! A partir daquela experiência, aprendi a ser muito cuidadosa ao criticar, julgar e condenar outras pessoas, principalmente outros crentes, porque, como ministra, sacerdotisa, essa é uma violação do meu chamado divino. Como você é um sacerdote para o nosso Deus, essa atitude também é uma violação do seu chamado divino.

Mantenha a Verdadeira Instrução em Sua Boca!

A verdadeira instrução esteve na sua boca, e a injustiça não se achou nos seus lábios; andou comigo em paz e em retidão e da iniqüidade apartou a muitos.

Porque os lábios do sacerdote devem guardar o conhecimento, e da sua boca devem os homens procurar a instrução, porque ele é mensageiro do SENHOR dos Exércitos.

Ml 2.6-7

Somos sacerdotes e reis para nosso Deus. Por isso precisamos manter a verdadeira instrução em nossa boca e não mais julgar, criticar ou condenar, não ser um fofoqueiro ou intrometido.

E não Seja Intrometido!

Não sofra, porém, nenhum de vós como assassino, ou ladrão, ou malfeitor, ou como quem se intromete em negócios de outrem [infringindo o direito deles].

1 Pe 4.15

A tradução desse versículo, na *Bíblia Viva*, é: *Não quero ouvir falar de vocês sofrerem por cometer assassinato, ou roubar, ou fazer desordem, ou por serem abelhudos e se intrometerem nos negócios dos outros.*

O que é um *intrometido*? Uma versão do *Webster* define *intrometido* como "alguém que se preocupa com os assuntos dos outros".[1] Outro dicionário *Webster* diz: "uma pessoa xereta, abelhuda".[2] Minha definição de uma pessoa intrometida é aquela que desenterra relatórios ruins e se encarrega de espalhá-los por meio de fofoca, difamação, cochichos e assim por diante.

Webster define *fofoca* como: "*s.* ... aquele que habitualmente repete rumores ou fatos íntimos ou particulares"; "*vi.* ... engajar em ou espalhar fofoca".[3] Minha definição de fofoca é aquele que aumenta e sensacionaliza rumores e informação parcial.

Um *difamador* nós já definimos (de *Vine*). *Difamadores* são "aqueles que se dedicam a encontrar falhas na conduta dos outros e espalham suas insinuações e críticas na Igreja".[4] *Difamar* do Webster, "*s.* ... modo de expressar declarações difamatórias e injuriosas à reputação ou bem-estar de uma pessoa. Um relatório ou declaração maliciosa"; "*vt.* ... proferir relatórios prejudiciais".[5]

Cochichar está definido no dicionário *Webster* como "*s.* ... Uma crença, rumor ou sugestão expressa secretamente <um *cochicho* impróprio>," "*vt* ... falar mansamente ou particularmente, como se fofocando, difamando ou intrigando".[6] Uma pessoa que *cochicha* sussurra ou fala em segredo para fofocar, difamar ou fazer intrigas.

Quando pensamos nessas definições, ser um intrometido, fofoqueiro – ou ainda um difamador –, parece não ser tão grave quanto ser um assassino, malicioso, ladrão ou criminoso. Mas o apóstolo Paulo considera tudo isso como pecado aos olhos de Deus. Outra grande instrução para levar em conta é encontrada em 1 Tessalonicenses 4.11: *e a diligenciardes por viver tranqüilamente, cuidar do que é vosso e trabalhar com as próprias mãos como vos ordenamos.*

O Pecado do Exagero

O Senhor me revelou que até mesmo o hábito inofensivo de exagerar é tão pecaminoso quanto qualquer um desses outros.

Por que sempre queremos exagerar? Porque queremos que as coisas pareçam melhores do que são, quando são boas, e piores, quando são más. Parece ser da natureza da carne exagerar e colocar as coisas de maneira desproporcional.

Nessa passagem, o Senhor diz que a boca de seus sacerdotes é para guardar e manter puro o conhecimento de sua lei. Por quê? Porque as pessoas buscam, indagam e exigem a instrução da boca do sacerdote, que é o mensageiro de Deus.

Como mensageiros de Deus, seus porta-vozes, devemos nos certificar se há instrução da verdade e da bondade em nossa boca e se não falamos mal com nossa língua.

Capítulo 13
Uma Língua que Cura

Ouvi, pois falarei coisas excelentes; os meus lábios proferirão coisas retas.
Porque a minha boca proclamará a verdade; os meus lábios abominam a impiedade.
São justas todas as palavras da minha boca (honestas e de acordo com Deus) não há nelas nenhuma coisa torta, nem perversa. Todas são retas para quem as entende [e abre seu coração] e justas, para os que acham o conhecimento [e vivem por ele].

Pv 8.6-9

Essa passagem não deveria ser somente nossa confissão e testemunho, mas também nossa reputação: o que falamos sobre nós e o que os outros dizem de nós.

Infelizmente, aprendemos na vida a falar com rodeios. Quando nos comunicamos, quase sempre os outros não têm a menor idéia do que falamos.

Devem nos comprometer com a comunicação simples, direta, honesta e verdadeira.

Como Tiago nos disse, bênçãos e maldições não devem estar juntas em nossa boca. Ao contrário, temos de ser como a mulher de Provérbios 31 – em nossa boca deve estar a instrução da bondade.

Como filhos de Deus, cheios do Espírito Santo, devemos manifestar os frutos do Espírito, principalmente a bondade, a benignidade, a mansidão e a humildade.

Esta deve ser nossa disposição.

Qual é a Sua Disposição?

Como leão que ruge e urso que ataca, assim é o perverso que domina...

Pv 28.15

Webster define a palavra *disposição* como "o humor normal de alguém: *temperamento*"; "tendência ou inclinação habitual," ou "a maneira comum de resposta emocional".[1]

Que tipo de disposição você tem? Você é normalmente feliz e de natureza boa ou é rabugento e mal-humorado? Você é doce e bom ou azedo e mau? Você é calmo ou fica furioso facilmente? (Se fica, por quanto tempo?) Você é positivo e entusiasmado ou negativo e deprimido? Você é despreocupado e fácil de agradar ou é áspero e exigente?

Como mencionei anteriormente, parecia que eu estava rodeada de pessoas com disposição negativa. É difícil agradar a pessoas que têm esse tipo de disposição. Se já esteve com pessoas assim por perto, tenho certeza de que você sabe o que quero dizer. Parece que sempre querem alguma coisa a mais do que elas já têm. É como sentar-se para comer frango frito e ficar decepcionado porque o frango está frito ao invés de assado. Esse é um exemplo muito simples, eu sei, mas tenho certeza de que você entendeu.

Uma pessoa com esse tipo de disposição é quase sempre chamada de "rabugenta," "mal-humorada" ou "urso." Qual é a sua disposição? Você é um "urso rabugento" ou é um "ursinho de pelúcia"?

A Disposição Orgulhosa

Abominável é ao SENHOR todo arrogante de coração; é evidente [eu lhe asseguro] que não ficará impune.

Pv 16.5

Pessoas com disposição orgulhosa são difíceis de lidar porque são arrogantes demais. Não se pode lhes dizer nada porque já sabem tudo. Têm tanta opinião que estão sempre na defensiva, o que faz com que não aceitem correção facilmente, porque teriam de admitir que estão erradas – e isso é algo quase impossível para elas.

Em meu ministério, o Senhor me usa para trazer correção por meio da sua palavra. A carne, geralmente, não se importa com isso, mas correção é o que nos faz crescer no Senhor. Embora eu tente corrigir em amor, às vezes as pessoas não gostam porque, sendo orgulhosas, resistem à verdade. Mas Jesus diz que é a verdade que nos liberta. (Jo 8.32.)

Lembre-se: *pessoas livres são pessoas felizes.*

Além de estar sempre na defensiva, pessoas orgulhosas quase sempre estão ocupadas tentando convencer os outros de que precisam mudar ou do que precisam fazer.

Foi incrível aprender que não é meu trabalho convencer a ninguém. Esse é o trabalho do Espírito Santo. Em João 16.8, Jesus disse que é o Espírito Santo quem convence as pessoas da verdade. Isso significa que não temos que tentar "brincar de Deus" na a vida de outras pessoas.

Mencionei como costumava fazer isso com meus filhos. Não sabia fazer como meu marido, que se baseava na palavra de Deus para dizer-lhes o que deviam fazer, e continuar com as minhas tarefas, permitindo ao Espírito Santo convencê-los da verdade.

Quando precisavam ser corrigidos, pensava que era meu trabalho tentar convencê-los de que estavam errados e eu, certa. Eu pregava e lhes fazia sermões durante horas, tentando fazê-los concordar comigo. Aquele tipo de abordagem repetitiva e estressante deixava as crianças ainda mais frustradas. Elas mal conseguiam me agüentar. Sou grata a Deus por curar e restaurar nossos relacionamentos.

Eu e Minha Boca Grande

Pessoas orgulhosas sentem necessidade de convencer os outros de que estão certas e eles, errados.

O versículo de Provérbios ensina que esse tipo de relacionamento dominante e superior não agrada a Deus. Ele deseja que seus filhos andem em bondade e humildade, e não com arrogância e orgulho.

Pessoas orgulhosas quase sempre são muito rígidas, o que explica por que são disciplinadoras tão severas. Elas têm sua própria maneira de fazer as coisas e, se alguém não faz do seu jeito, reagem de forma impetuosa, às vezes até violenta: "Isso! É assim que tem de ser feito – senão"!

Eu agia assim com meus filhos – e é por isso que meu marido, que havia sido um militar, disse que eu daria um bom sargento. No entanto, minha atitude com minha família não estava produzindo o resultado que esperava. Na verdade, estava fazendo o efeito contrário.

Finalmente, pessoas orgulhosas quase sempre são complicadas. Embora a Bíblia nos chame a uma vida de simplicidade, elas sentem necessidade de transformar tudo em algo importante, fazer uma montanha de cada montículo. Em parte é porque têm de descobrir tudo, têm de saber as entradas e saídas de cada situação e saber a razão de tudo o que acontece na vida.

Todas essas coisas ajudam a explicar por que pessoas orgulhosas não são muito felizes e pessoas infelizes não conseguem fazer outras pessoas felizes.

E a pergunta é: que tipo de disposição Deus quer que tenhamos para ser uma bênção para nós mesmos e para os outros? Deus nos deu um modelo que possamos seguir?

Uma Disposição Tranqüilizadora

> Eis aqui o meu servo, que escolhi, o meu amado, em quem a minha alma se compraz. Farei repousar sobre ele o meu Espírito, e ele anunciará juízo aos gentios.

Uma Língua que Cura

Não contenderá, nem gritará, nem alguém ouvirá nas praças a sua voz.

Não esmagará a cana quebrada, nem apagará a torcida que fumega, até que faça vencedor o juízo.

E, no seu nome, esperarão os gentios (os povos fora de Israel).

Mt 12.18-21

Como crentes, como filhos amados de Deus, criados à sua imagem, ele quer que tenhamos a mesma disposição tranqüilizadora do seu filho Jesus.

Muitos de nós cremos que se Jesus andasse num ambiente de contendas levaria apenas alguns minutos para que trouxesse paz àquela situação. Jesus era de natureza tranqüilizadora. Jesus era cingido de mansidão.

Não queria provar nada. Não estava preocupado com o que as pessoas pensavam dele. Já sabia quem era, por isso não sentia necessidade de se defender. Embora outros ficassem preocupados com ele, sua resposta era sempre pacífica e amorosa.

Esse é o tipo de disposição tranqüilizadora que Deus quer para mim e para você. Esse é o tipo de língua que ele quer que tenhamos – uma que traga encorajamento, edificação e exortação por onde quer que andemos.

Somos assim ou somos rabugentos e cabeças-duras? Somos humildes, simples e agradáveis ou orgulhosos, complicados e rígidos?

Meu marido é uma das poucas pessoas que conheço que verdadeiramente tem uma disposição tranqüilizadora. Ele é tão tranqüilo que me impressiona. Ele pode estar pronto para um cochilo, mas se eu lhe pedir que vá à mercearia, ele dirá: "Claro, irei agora mesmo". Se fosse eu, posso assegurar-lhe que minha reação seria completamente diferente!

Geralmente pessoas com esse tipo de disposição são encorajadoras e exortadoras. Não importa o que esteja acontecendo ao seu redor ou o que

Eu e Minha Boca Grande

os outros estão dizendo ou fazendo, parece que elas sempre têm uma palavra de encorajamento e bondade para compartilhar com todos. Essa é a maneira que Deus pretende que sejamos. É para isso que ele nos deu a língua – não para cortar pessoas em pedaços, julgar, criticar e condenar aqueles que discordam de nós.

Como mensageiros de Deus, porta-vozes, embaixadores da paz, não devemos ser ásperos e duros, orgulhosos e arrogantes, rígidos e inflexíveis. Ao contrário, devemos ser tranqüilizadores e mansos, simples e humildes, flexíveis e adaptáveis.

Para ser da maneira que Deus quer que sejamos, seus representantes na terra, devemos nos despojar de nossa velha natureza e nos revestir da nova natureza – que é a natureza de seu amado filho Jesus Cristo.

Uma Nova Natureza

No sentido de que, quanto ao trato passado, vos despojeis do velho homem [deixeis de lado e descarteis vosso velho "eu"], que se corrompe segundo as concupiscências do engano,
e vos renoveis no espírito do vosso entendimento [tenhais uma mente nova e atitude espiritual],
e vos revistais do novo homem (o "eu" regenerado), criado segundo Deus, em justiça e retidão procedentes da verdade.
Ef 4.22-24

Na *Versão King James*, a declaração de abertura do versículo 22 diz: *despojai-vos concernentes à antiga **conversação** do velho homem...*
Embora a palavra grega *anastrophe* nessa passagem não seja mais traduzida como "conversação" nas versões mais modernas, porque o significado dessa palavra em inglês mudou do tempo do *King James*, em que era "compor-

tamento", ² ainda creio que haja uma ligação vital entre conversação e comportamento, que é um reflexo e expressão de nossa natureza.

O Senhor me revelou que nossa natureza é vista por intermédio da nossa conversação. Significa que o tipo de pessoa que somos é revelado por nossa fala.

Nossa natureza sai por nossa boca.

Se tivermos uma disposição tranqüilizadora, nossas palavras trarão essa tranqüilidade às águas turbulentas.

A Bíblia não diz que a resposta branda desvia o furor? (Pv 15.1.) Isso é verdade – se tivermos a disposição de deixar nosso orgulho e permitir que o Espírito Santo trabalhe por nosso intermédio, como ele quiser, em cada situação.

Se estivermos dispostos a nos humilhar diante do Senhor, em mansidão e obediência, como Jesus fez, então, a mesma natureza que motivou suas palavras e ações transformará nossa natureza e trará tranqüilidade à nossa vida e à vida de todos aqueles com quem entrarmos em contato. Jesus chamou isso de tomar seu fardo sobre nós.

A Natureza de Jesus

> Vinde a mim, todos os que estais cansados e sobrecarregados, e eu vos aliviarei. [Eu acalmarei e refrigerarei vossas almas.]
>
> Tomai sobre vós o meu jugo e aprendei de mim, porque sou manso (dócil) e humilde de coração; e achareis descanso (alívio, sossego e refrigério) para a vossa alma.
>
> Porque o meu jugo é suave (útil, bom – não áspero, difícil, pesado, mas confortável, gracioso e agradável), e o meu fardo é leve.
>
> Mt 11.28-30

Para ter a natureza de Jesus e manifestá-la, precisamos saber qual é a natureza dele.

Cada um de nós tem uma natureza diferente. Não há dois exatamente iguais. Nossa natureza também muda à medida que passamos por experiências e ciclos da vida.

Com o passar dos anos, tenho visto a transformação em minha natureza e na do meu marido. Sou do tipo que tem uma personalidade briguenta. Pessoas com meu tipo de disposição são difíceis de agradar. Nada serve. Elas têm de transformar tudo em algo importante. Tais pessoas não são muito felizes.

Os mais felizes são os que enfrentam bem as coisas. São fáceis de agradar e se dar bem. São do tipo "deixe o barco correr." São ajustáveis e adaptáveis. Tais pessoas quase sempre trazem tranqüilidade às águas turbulentas.

Tenho de admitir que durante os primeiros vinte e um anos de nosso casamento, até que eu fosse cheia com o Espírito Santo, meu marido era muito mais feliz que eu. Finalmente comecei a alcançá-lo; porque tenho mais da Palavra de Deus em mim agora do que antes. No entanto, mesmo depois de ser batizada no Espírito Santo, não houve nenhuma mudança instantânea da noite para o dia em minha vida.

Mudança real não acontece fácil ou rapidamente.

Você já aprendeu que se quer mudar, deve querer – e querer tanto que se esforça para isso.

Muitas pessoas gostariam de tomar apenas uma pílula ou pronunciar alguma palavra mágica numa noite e acordar na manhã seguinte completamente diferentes, completamente transformadas. Isso não funciona desta forma.

Não existem santos da noite para o dia ou ministros instantâneos.

Se você e eu queremos ser diferentes de como somos agora, então temos de suportar alguns sofrimentos. Vamos ter de cooperar com o Senhor passo a passo, enquanto ele nos molda conforme sua vontade, transformando-nos gradualmente na imagem de seu filho Jesus.

No versículo 29 dessa passagem, Jesus descreve a natureza dele. Ele diz que é manso e humilde de coração e continua dizendo que, se tomarmos seu jugo – sua natureza – e aprendermos dele, acharemos descanso.

Quando começarmos a tomar a bondade, mansidão e humildade que marcaram a vida de Jesus, acharemos descanso para nossa alma.

No versículo 30, Jesus descreve seu jugo – sua natureza – como suave e bom, e não duro, pesado, áspero ou aflito, mas confortável, gracioso e agradável.

Lembre-se: se estiver sob pressão, essa pressão não vem de Deus. Seu jugo não é áspero, duro, pesado ou aflito – porque sua natureza não é assim.

Essa não é a forma de ser do Senhor, essa é a forma de ser do diabo, e é dessa forma que se tornam aqueles que se submetem a ele.

Jesus tem uma disposição pacífica e tranqüilizadora.

É por isso que a Bíblia diz que, se quisermos ser guiados pelo Espírito de Deus, devemos aprender a ser guiados pela paz. (Cl. 3.15.) Se formos guiados pela paz, saberemos que estamos sendo guiados por Deus, porque ele é a paz dentro de nós.

Muitos crentes vão de um culto a outro buscando uma "voz," procurando uma "palavra" de Deus. Com a direção do Espírito Santo, ministrei palavras de conhecimento, palavras de sabedoria e palavras de profecia em nossos cultos. Todo mundo gosta disso. Mas, quando se trata de permitir que o Espírito Santo transforme nossa natureza carnal na natureza de Jesus Cristo, é outra história. É aí que os cristãos maduros são separados dos bebês espirituais. É aí que é revelado quem realmente quer ter um compromisso com Deus e quem não quer.

177

É fácil permanecer do jeito que somos. É fácil continuar sendo áspero, duro e aflito, mas isso rouba nossa paz e alegria.

Devemos aprender que, se escolhermos ser verdadeiramente felizes, teremos de ser como Jesus, tomar sua natureza sobre nós, ainda que ele tenha tomado nossa natureza sobre si. (Hb 2.16.) Ásperos e duros ou doces e calmos é o que vai revelar se somos verdadeiros adoradores de Deus.

Um Óleo de Unção Santo e Perfumado

> Disse mais o SENHOR a Moisés:
>
> Tu, pois, toma das mais excelentes especiarias: de mirra fluida quinhentos siclos, de cinamomo odoroso a metade, a saber, duzentos e cinqüenta siclos, e de cálamo aromático duzentos e cinqüenta siclos, e de cássia quinhentos siclos, segundo o siclo do santuário, e de azeite de oliveira um him.
>
> Disto farás o óleo sagrado para a unção, o perfume composto segundo a arte do perfumista; este será o óleo sagrado da unção.
>
> Êx 30.22-25

Você realmente quer ser ungido? Ou quer apenas gotas de unção do Espírito Santo? Você quer ser impregnado com a doce fragrância do Espírito de Deus?

De acordo com a Bíblia, há uma fragrância espiritual que sobe de nossa vida: *Porque nós somos para com Deus* [semelhante a] *o bom perfume* [que exala] *de Cristo, tanto nos que são salvos como nos que se perdem* (2 Co 2.15).

Essas coisas que vemos no Antigo Testamento são muito relevantes nos aspectos práticos do Novo Testamento.

Os Ingredientes do Óleo da Unção

> Com ele ungirás a tenda da congregação, e a arca do Testemunho, e a mesa com todos os seus utensílios, e o candelabro com os seus utensílios, e o altar do incenso, e o altar do holocausto com todos os utensílios, e a bacia [para limpeza] com o seu suporte. Assim consagrarás (separarás) estas coisas, para que sejam santíssimas; tudo o que tocar nelas será santo (separado para Deus). Também ungirás Arão e seus filhos e os consagrarás (separarás) para que me oficiem como sacerdotes.
>
> Êx 30.26-30

Tenho um livro de Hannah Hurnard chamado *Mountains of Spices*.[3] Ao ler essa passagem de Êxodo, comecei a me perguntar o que tais especiarias representavam e, então, procurei-as naquele livro.

De acordo com a autora, a mirra representa a mansidão.[4] Visto que a receita para o óleo da unção pede 500 siclos de mirra, isso representa uma grande quantidade de mansidão!

Como vimos, mansidão é um dos atributos da natureza de Jesus Cristo.

O cinamomo representa a bondade[5] e o cálamo, a suavidade;[6] então, se desejamos a unção de Deus sobre nós, teremos de ser impregnados de uma mistura de mansidão, bondade, suavidade e humildade.

Cresça em Cristo e em Amor

> Digo, pois, que, durante o tempo em que o herdeiro é menor, em nada difere de escravo, posto que é ele senhor de tudo.

Mas está sob tutores e curadores até ao tempo predeterminado pelo pai.

Gl 4.1-2

Devemos crescer e tornar-nos maduros em Cristo para reivindicar a herança completa que está separada para os filhos de Deus.

No capítulo 4 de Gálatas, o apóstolo Paulo diz que quando um menor recebe uma herança ela é entregue a um tutor até que o menor atinja a maioridade. Como herdeiros de Deus e co-herdeiros com Cristo (Rm 8.17), temos uma herança em Cristo. Mas até que deixemos as coisas de menino e cresçamos, essa herança é guardada para nós pelo Espírito Santo.

Só recebemos as bênçãos de Deus quando atingimos a maturidade suficiente para lidar com elas. Uma maneira de mostrarmos maturidade é pelo controle da língua.

Como vimos em Isaías 58.6-9, temos de soltar as ligaduras da impiedade, desfazer as ataduras da servidão, deixar livres os oprimidos e despedaçar todo jugo.

Temos de repartir o pão com o faminto e recolher em casa os pobres desabrigados. Temos de cobrir o nu e não nos escondermos do nosso semelhante.

O que o Senhor diz nessas passagens é que ele quer que tenhamos o tipo de disposição madura do seu filho Jesus, uma disposição que não é egoísta e egocêntrica, mas que se importa com os outros. Como Isaías afirmou, então nossa luz romperá como a manhã, e nossa cura – nossa restauração, o poder de uma vida nova – brotará sem detença. Nossa justiça, nosso relacionamento correto com o Senhor irá adiante de nós, conduzindo-nos à paz e à prosperidade. A glória do Senhor será a nossa retaguarda; clamaremos ao Senhor e ele nos responderá.

Uma Língua que Cura

Quando tirarmos o jugo do meio de nós, o dedo que ameaça, quando pararmos de criticar e julgar os outros, quando lançarmos fora toda forma de falar falso, áspero e injustamente, então as bênçãos do Senhor virão sobre nós. É assim que nos tornamos verdadeiros adoradores – um aroma doce e suave para o Senhor.

Uma Fórmula Para Viver No Reino

Pelas quais nos têm sido doadas as suas preciosas e mui grandes promessas, para que por elas vos torneis co-participantes da natureza divina, livrando-vos da corrupção (podridão e corrupção) das paixões (lascívia e ganância) que há no mundo, por isso mesmo, vós, reunindo toda a vossa diligência [as promessas divinas], associai (tornai participantes) com a vossa fé a virtude (excelência, resolução, energia cristã); com a virtude, [desenvolvei] o conhecimento (inteligência); com o [exercitando] conhecimento, [desenvolvei] o domínio próprio; com o domínio próprio, a perseverança (paciência, persistência); com a perseverança, [desenvolvei] a piedade; com a piedade, [desenvolvei] a fraternidade; com a fraternidade [desenvolvei], o amor.

Porque estas coisas, existindo em vós e em vós aumentando, fazem com que não sejais nem inativos, nem infrutuosos no pleno conhecimento de nosso Senhor Jesus Cristo (o Messias, o Ungido).

2 Pe 1.4-8

Nessa passagem há uma formula bíblica para sair da carne e entrar na natureza divina e para experimentar o verdadeiro viver no Reino.

Nosso relacionamento com Deus começa no pátio externo. De lá, passamos para o pátio interno e, finalmente, para o Santo dos Santos. Nossa vida cristã começa com o novo nascimento. Oramos na carne; lemos a Bíblia na carne; vamos à igreja na carne. Adoramos na carne e Deus aceita esse tipo de adoração porque é ele quem nos leva ao nível em que estamos. Mais tarde ele dirá: "É hora de passar para o pátio interno" por intermédio da mensagem de santidade; a mensagem da santidade diz que antes Deus permitia certas coisas, mas agora não permite mais.

Finalmente, chega o dia em que Deus diz: "Agora é hora de entrar no Santo dos Santos". Para entrar naquele lugar, toda nossa vida deve ser colocada sobre o altar diante do Senhor. Não podemos mais reservar as pequenas coisas que queremos para nós mesmos.

Devemos desistir de tudo por Deus e nos tornarmos verdadeiros adoradores em espírito e verdade. (Jo 4.23.) Isso significa que devemos estar prontos para viver diante de Deus como ele deseja, confiando que nos dará a graça para isso. (Fp 2.13.)

Nessa passagem, a primeira coisa que nos é dita é que devemos tomar as promessas de Deus e zelar por elas.

Muitas pessoas estão paradas bem no início. Elas nunca vão além das promessas de Deus. Andam por aí citando promessas a vida inteira, mas nunca zelam ou se esforçam, por isso nunca vêem o cumprimento dessas promessas.

Para crescer na verdadeira maturidade cristã e cumprir a vontade e o plano de Deus para nossa vida, devemos decidir terminar a carreira que nos está proposta. (2 Tm. 4.7.) Haverá coisas que virão para nos desencorajar e nos fazer desistir, mas devemos ser determinados e zelosos.

Devemos acrescentar fé ao nosso zelo, que por sua vez desenvolve a virtude ou a excelência.

Há momentos em que o Senhor dirá: "Você não pode mais ser preguiçoso, desleixado e indisciplinado; você tem de exercer excelência, determinação e energia cristãs".

Essa excelência desenvolve o conhecimento, que produz o domínio próprio. Isso significa que não podemos mais fazer o que queremos, mas devemos ser comprometidos como Jesus, para fazer a vontade do Pai.

Uma vez que desenvolvemos o domínio próprio, ele, por sua vez, nos leva à firmeza, que é paciência ou resistência. Paciência não é apenas a capacidade de esperar, mas a capacidade de esperar com uma boa atitude. Enquanto esperamos, nossa vida deve exalar aquele doce aroma diante do Senhor.

Com certeza, é mais fácil exalar um bom aroma quando as coisas estão indo do nosso jeito. É muito mais difícil quando tudo está contra nós, quando aqueles ao nosso redor estão tendo suas orações respondidas, enquanto as nossas próprias orações parecem não passar do teto.

Nessas horas, pode parecer que Deus está surdo, que, por alguma razão que não conseguimos entender, ele se recusa a nos ouvir. Todos nós passamos por isso. O teste é: que tipo de fragrância exalamos enquanto esperamos? Nossa firmeza, nossa paciência e nossa resistência nos levam a algo chamado temor.

É quando começamos a ser expostos a uma enxurrada constante de mensagens de santidade. Por quê? Porque Deus lida com cada virtude cristã, uma de cada vez.

Ele está nos levando a algum lugar. Deus está nos levando para si mesmo, capacitando-nos a permanecer na sua santa presença. Ele está nos preparando para sermos usados por ele no grande avivamento dos últimos dias.

Depois do temor vem a afeição fraterna, que a *Versão King James* chama de "bondade fraterna". Esse tipo de afeição ou bondade fraterna produz o verdadeiro "amor cristão", que é a tradução da *Bíblia Amplificada* da palavra grega ágape, que significa amor semelhante ao de Deus.

Cingi-vos de Humildade

... Cingi-vos todos de humildade [como a veste de um servo, para que não possa ser tirada de vós, livres do orgulho e arrogância], porque Deus resiste aos soberbos (insolentes, presunçosos, jactanciosos) – [e ele os frustra, se opõe e os derrota], contudo, aos humildes concede a sua graça (favor, bênção).

1 Pe 5.5

Na época que comecei este estudo sobre a língua, o Senhor me revelou, por intermédio dessa fórmula que eu estava certa sobre ágape.

Enquanto eu relembrava minha vida até aquele ponto, pude ver que o Senhor me sustentou em cada um dos estágios de crescimento cristão. Agora ele dizia que era hora de fazer como Pedro declarou: cingir-me com a humildade de Cristo.

Creio que Deus diz isso para cada um de nós. Devemos cingir-nos com o manto de humildade, mansidão, bondade e suavidade. Devemos usar esse manto no mundo, agir como Jesus, exalar um doce aroma e ter uma personalidade tranquila.

Depois que recebi essa mensagem do Senhor, eu estava ministrando em uma reunião e, no final do culto, um homem veio até mim e disse: "Sinto que esta será somente uma confirmação, mas tenho uma palavra do Senhor para você". Ele continuou a citar esta passagem, 2 Pedro 1.4-9, e disse: "O Senhor diz que você está na bondade e depois disso vem o Reino".

Como disse anteriormente, sou cuidadosa com as palavras de outras pessoas, mas neste caso não há como aquela palavra ter sido acidental. Ela me encorajou muito, porque acreditei que era uma confirmação do que Deus já tinha me mostrado.

Esteja Pronto Para Ser Transformado

> E todos nós, com o rosto desvendado, contemplando [na Palavra de Deus], como por espelho, a glória do Senhor, somos transformados, de glória em glória, na sua própria imagem, como pelo Senhor, o Espírito.
>
> 2 Co 3.18

A mudança que precisa acontecer em cada um de nós não vem da nossa vontade, da nossa força ou das nossas boas obras. Ela vem de conhecer a Deus pessoalmente e intimamente.

Neste capítulo final, não ensinarei sete passos para crescer no conhecimento do Senhor. Direi qual é a sua única responsabilidade.

A confissão é boa. Faz coisas na vida do crente, mas não muda o homem interior.

Certos tipos de programas de oração são bons. Ajudam a desenvolver a disciplina espiritual, mas não mudam o homem interior.

Ler a Bíblia, freqüentar igreja e muitos outros exercícios são bons. São coisas que cada crente tem que praticar, mas elas não mudam o homem interior.

Só existe uma maneira de mudar o homem interior: é colocando-se na presença de Deus e permitindo que ele faça uma obra no seu interior.

No momento, toda a Igreja de Jesus Cristo está trabalhando e se esforçando – tentando mudar. Deus me revelou que apreciaria muito se todos nós apenas o contemplássemos em sua Palavra e permitíssemos que seu Espírito nos transformasse em sua imagem.

Nós, carismáticos, nos tornamos tão religiosos... Na verdade, temos nossa própria religião! Planejamos e programamos tudo em nossa vida espiritual. Não há nada de errado com a disciplina e a ordem, mas, se planejamos e programamos as coisas e deixamos Deus de fora, então temos um problemão em nossas mãos. A única coisa que vai nos transformar verdadeiramente é entrar na presença de Deus e esperar que ele faça o que não podemos fazer sozinhos.

Não estou desafiando você a sair e tentar ser bom, humilde, manso ou amoroso. Se essa é a mensagem que você captou deste livro, então você ficará frustrado.

Esta mensagem não tem a intenção de trazer condenação para o que você é ou foi. É para trazer encorajamento para o que você pode ser – se quiser submeter-se ao Espírito do Deus vivo.

O Senhor está procurando pessoas que desejam ser mudadas do que são agora para o que somente ele pode fazê-las ser. O primeiro passo nesse processo envolve quase sempre uma mudança no discurso.

Isso foi verdade para Abrão e Sarai, que tiveram de aprender a chamar-se por nomes diferentes. Foi verdade para Moisés, que deu a desculpa de não poder falar adequadamente dado o problema com a língua. Isso foi verdade para Isaías, que disse ser um homem de lábios impuros, que vivia no meio de um povo de impuros lábios. Isso foi verdade para Jeremias, que alegou ser jovem demais para falar pelo Senhor.

Isto será verdade para você e para mim. Se quisermos ser mudados, o Senhor fará nossa transformação e transfiguração – de sua própria maneira e em seu próprio tempo – enquanto simplesmente tivermos comunhão com ele no homem interior.

Experimentando o Senhor

Gostaria de compartilhar com você esta citação do livro chamado *Experiencing the Depths of Jesus Christ:*

Deus habita no seu espírito. Oh, quando você aprender como é habitar lá com ele, sentirá que a presença dele dissolverá a dureza de sua alma. E, enquanto a dureza de seu coração derrete, fragrâncias preciosas exalam de sua alma.[7]

Pense nisso por um momento. Deus habita lá no seu espírito, mas você tem de aprender a habitar lá com ele.

Produzir frutos não vem de freqüentar Igreja, vigílias de oração, leitura da Bíblia ou confissão positiva, embora essas coisas sejam boas. Vem de conformar-se ao Senhor e permitir-lhe conformar-se a você. É sua divina presença que dissolve a dureza de sua alma, para que as doces fragrâncias exalem de você.

Você quer mudar? Quer desistir de ser duro, áspero e aflito? Quer se tornar humilde, manso, suave e doce? Quer ser como Jesus? Então aprenda a ter comunhão com ele para que Jesus possa desenvolver em você uma língua e um espírito tranqüilos.

> Evita, igualmente, os falatórios inúteis (vazios, inúteis, torpes) e profanos, pois os que deles usam passarão a impiedade ainda maior.
>
> 2 Tm 2.16

Conclusão

Neste estudo, tentei enfatizar a importância de quantas bênçãos – e quanto prejuízo – produzimos pelas palavras de nossa boca.

As palavras são depósitos de poder.

É por isso que há tantas passagens na Palavra de Deus sobre o uso certo e errado da língua (ver a lista de versículos).

Para ilustrar os muitos versículos sobre esse assunto, compartilhei várias experiências pessoais, realçando as lições que aprendi em minha vida e em meu ministério. Também compartilhei exemplos de algumas confissões pessoais que costumo aplicar da Palavra de Deus às muitas situações da vida que encontramos em nosso caminhar cristão.

É minha oração sincera que eles sejam de ajuda para que você obtenha controle sobre suas palavras e, assim, mude sua vida e circunstâncias – para seu próprio bem e de todos aqueles com quem você convive.

Evite toda conversa torpe, vazia, vã e inútil. Ao contrário, aprenda a falar como Deus fala. É a Palavra de Deus, falada em verdade e amor, que voltarão para ele, depois de cumprir sua vontade e propósito. Mas, para falar esta Palavra em verdade e amor, seu coração deve ser sincero diante do Senhor, pois é da abundância que há no coração que a boca fala – para o bem ou para o mal.

Você está preso por suas palavras, por suas declarações.

Você também é julgado por elas.

Watchman Nee disse uma vez: "Se você ouve uma pessoa, você pode detectar por suas palavras o espírito que está saindo delas".

Por isso é tão importante colocar um guarda sobre seus lábios, para que o que sair deles não seja apenas verdadeiro, mas também bom, positivo, edificante e alinhado com a vontade de Deus.

Você pode mudar sua atitude e comportamento, mas primeiro deve mudar seus pensamentos e palavras. E para isso você precisa da ajuda do Espírito de Deus.

A atitude determina a ação.

Se você verdadeiramente quer que sua vida seja completamente diferente, submeta-se ao Senhor e, em humildade, peça-lhe que o transforme na imagem e natureza de seu filho Jesus Cristo.

Ele está fazendo isso por mim e, se pode fazer por mim, ele pode – e irá – fazer por você também.

Deus abençoe você.

Versículos sobre a Língua

Porque todos tropeçamos em muitas coisas. Se alguém não tropeça [nunca fala coisas erradas] no falar, é perfeito varão, capaz de refrear também todo o corpo.
Ora, se pomos freio na boca dos cavalos, para nos obedecerem, também lhes dirigimos o corpo inteiro.
Observai, igualmente, os navios que, sendo tão grandes e batidos de rijos ventos, por um pequeníssimo leme são dirigidos para onde queira o impulso do timoneiro.
Assim, também a língua, pequeno órgão, se gaba de grandes coisas. Vede como uma fagulha põe em brasas tão grande selva!
Ora, a língua é fogo; é mundo de iniqüidade; a língua está situada entre os membros de nosso corpo, e contamina o corpo inteiro, e não só põe em chamas toda a carreira da existência humana (o ciclo da natureza humana), como também é posta ela mesma em chamas pelo inferno.
Pois toda espécie de feras, de aves, de répteis e de seres marinhos se doma e tem sido domada pelo gênero (natureza) humano; a língua, porém, nenhum dos homens é capaz de domar; é mal incontido (indisciplinado, irreconciliável), carregado de veneno mortífero.
Com ela, bendizemos ao Senhor e Pai; também, com ela, amaldiçoamos os homens, feitos à semelhança de Deus.
De uma só boca procede bênção e maldição. Meus irmãos, não é conveniente que estas coisas sejam assim.
Acaso, pode a fonte jorrar [simultaneamente] do mesmo lugar o que é doce e o que é amargoso?

Acaso, meus irmãos, pode a figueira produzir azeitonas ou a videira, figos? Tampouco fonte de água salgada pode dar água doce.
Tg 3.2-12

Se alguém supõe ser religioso (observador de deveres externos de sua fé), deixando de refrear a língua, antes, enganando o próprio coração, a sua religião é vã (fútil, estéril).
Tg 1.26

Assim também vós considerai-vos mortos para o pecado, mas vivos para Deus [vivendo um relacionamento inquebrável com ele], em Cristo Jesus.

Não reine, portanto, o pecado em vosso corpo (perecível) mortal, de maneira que obedeçais às suas paixões; nem ofereçais cada um os membros do seu corpo [e faculdades] ao pecado, como instrumentos de iniqüidade; mas oferecei-vos a Deus, como ressurretos dentre os mortos, e os vossos membros, a Deus, como instrumentos de justiça.
Rm 6.11-13

Como está escrito: Por pai de muitas nações te constituí [Ele foi designado nosso pai], perante aquele no qual creu, o Deus que vivifica os mortos e chama à existência as coisas [que previu e prometeu] que não existem.
Rm 4.17

Os céus por sua palavra se fizeram, e, pelo sopro de sua boca, o exército deles.
Sl 33.6

Disse Deus: Haja luz; e houve luz.
Gn 1.3

Do fruto da boca o coração se farta, do que produzem os lábios se satisfaz [seja bom ou ruim].

A morte e a vida estão no poder da língua; o que bem a utiliza come do seu fruto [para a morte ou vida].
Pv 18.20-21

Não é o que entra pela boca o que contamina o homem, mas o que sai da boca, isto, sim, contamina o homem.
Mt 15.11

Versículos Sobre a Língua

Não compreendeis que tudo o que entra pela boca desce para o ventre e, depois, é lançado em lugar escuso? Mas o que sai da boca vem do coração, e é isso que contamina o homem. Porque do coração procedem maus desígnios (razões, disputas), homicídios, adultérios, prostituição, furtos, falsos testemunhos, blasfêmias. São estas as coisas que contaminam o homem; mas o comer sem lavar as mãos não o contamina.

Mt 15.17-20

A vossa palavra seja sempre agradável (graciosa), temperada [como se fosse] com sal, para saberdes como deveis responder a cada um [que lhe faz alguma pergunta].

Cl 4.6

Quem farta [tua necessidade e desejo em tua idade e situação atual] de bens a tua velhice, de sorte que a tua mocidade se renova como a da águia [forte, triunfante, que voa alto].

Sl 103.5

Como fruto dos seus lábios criei a paz, paz para os que estão longe [gentios e judeus] e para os que estão perto, diz o SENHOR, e eu o sararei [farei brotar dos seus lábios louvores e agradecimento].

Is 57.19

Pela transgressão dos lábios o mau [perigosamente] se enlaça, mas o justo sairá da angústia.
Cada um se farta de bem pelo fruto da sua boca, e o que as mãos do homem fizerem ser-lhe-á retribuído.

Pv 12.13

Ou fazei a árvore boa (saudável) e o seu fruto bom (saudável) ou a árvore má (doente) e o seu fruto mau (doente); porque pelo fruto se conhece a árvore.
Raça de víboras, como podeis falar coisas boas, sendo maus? Porque a boca fala do que está cheio (superabundante) o coração.

Mt 12.33-34

Filho meu, se deixas de ouvir a instrução, desviar-te-ás das palavras do conhecimento.

Pv 19.27

Digo-vos que de toda palavra frívola (inoperante, inútil) que proferirem os homens, dela darão conta no Dia do Juízo.

Mt 12.36

Quem fecha os olhos imagina o mal, e, quando morde [como se em oculto] os lábios, o executa.

Pv 16.30

Do fruto da boca o homem comerá o bem, mas o desejo dos pérfidos é a violência.
O que guarda a boca conserva a sua alma, mas o que muito abre os lábios a si mesmo se arruína.

Pv 13.2-3

O que guarda a boca e a língua guarda a sua alma das angústias.

Pv 21.23

Porque a palavra de Deus é viva, e eficaz, e mais cortante do que qualquer espada de dois gumes, e penetra até ao ponto de dividir alma e espírito, juntas e medulas [as partes mais profundas de nossa natureza], e é apta para discernir os pensamentos e propósitos do coração.

Hb 4.12

Alguém há cuja tagarelice é como pontas de espada, mas a língua dos sábios é medicina.

Pv 12.18

O homem se alegra em dar resposta adequada, e a palavra, a seu tempo, quão boa é!

Pv 15.23

Não saia [jamais] da vossa boca nenhuma palavra torpe, e sim unicamente a que for boa para edificação, conforme a necessidade, e, assim, transmita graça (favor de Deus) aos que ouvem. E não entristeçais o Espírito de Deus [não ofendais, não aborreçais], no qual fostes selados (marcados, carimbados como propriedade de Deus, firmados) para o dia da redenção (da libertação final do mal e conseqüências do pecado, através de Cristo).

Versículos Sobre a Língua

Longe de vós, toda amargura, e cólera (paixão, ódio, temperamento difícil), e ira (raiva, animosidade), e gritaria (briga, contenda, polêmica), e blasfêmias (linguagem abusiva), e bem assim toda malícia (rancor, má vontade e torpeza de qualquer tipo). Antes, sede uns para com os outros benignos, compassivos, perdoando-vos uns aos outros, como também Deus, em Cristo, vos perdoou.

Ef 4.29-32

Quem, SENHOR, habitará [temporariamente] no teu tabernáculo? Quem há de morar [permanentemente] no teu santo monte?
O que vive com integridade, e pratica a justiça, e, de coração, fala a verdade;
o que não difama com sua língua, não faz mal ao próximo, nem lança injúria contra o seu vizinho;

Sl 15.1-3

Então, disse eu: ai de mim! Estou perdido! Porque sou homem de lábios impuros, habito no meio de um povo de impuros lábios, e os meus olhos viram o Rei, o SENHOR dos Exércitos! Então, um dos serafins [seres celestiais] voou para mim, trazendo na mão uma brasa viva, que tirara do altar com uma tenaz; com a brasa tocou a minha boca e disse: Eis que ela tocou os teus lábios; a tua iniqüidade foi tirada, e perdoado, o teu pecado.

Is 6.5-7

Põe guarda, SENHOR, à minha boca; vigia a porta dos meus lábios.

Sl 141.3

As palavras dos meus lábios e o meditar do meu coração sejam agradáveis na tua presença, SENHOR, rocha [firme, impenetrável] minha e redentor meu!

Sl 19.14

Filho meu, atenta para as minhas palavras; aos meus ensinamentos inclina os ouvidos.
Não os deixes apartar-se dos teus olhos; guarda-os no mais íntimo do teu coração.

Porque são vida para quem os acha e saúde, para o seu corpo. Sobre tudo o que se deve guardar, guarda o coração, porque dele procedem as fontes da vida. Desvia de ti a falsidade da boca e afasta de ti a perversidade dos lábios.

Pv 4.20-24

Nem conversação torpe (obscena, indecente), nem palavras vãs (tolas, corruptas) ou chocarrices, coisas essas inconvenientes; antes, pelo contrário, ações de graças.

Ef 5.4

A resposta branda desvia o furor, mas a palavra dura suscita a ira. A língua dos sábios adorna o conhecimento, mas a boca dos [autoconfiantes] insensatos derrama a estultícia. Os olhos do SENHOR estão em todo lugar, contemplando os maus e os bons. A língua serena [com seu poder curador] é árvore de vida, mas a perversa quebranta o espírito. A ansiedade no coração do homem o abate, mas a boa palavra o alegra.

Pv 15.1-4

Prega a palavra, insta [estejas pronto e em posição], quer seja oportuno, quer não [se for conveniente ou não, se for bem recebida ou não, tu, como pregador da Palavra deves mostrar às pessoas onde a vida delas está errada], corrige, repreende, exorta com toda a longanimidade e doutrina.

2Tm 4.2

E disse-lhes: Ide por todo o mundo e pregai o evangelho a toda criatura.

Mc 16.15

No muito falar não falta transgressão, mas o que modera os lábios é prudente.

Pv 10.19

Ele foi oprimido e humilhado, mas não abriu a boca; como cordeiro foi levado ao matadouro; e, como ovelha muda perante os seus tosquiadores, ele não abriu a boca.

Is 53.7

Versículos Sobre a Língua

Ouvi, pois falarei coisas excelentes; os meus lábios proferirão coisas retas.
Porque a minha boca proclamará a verdade; os meus lábios abominam a impiedade.
São justas (honestas, de acordo com Deus) todas as palavras da minha boca; não há nelas nenhuma coisa torta, nem perversa.
Pv 8.6-8

Porque eu vos darei boca e sabedoria a que não poderão resistir, nem contradizer todos quantos se vos opuserem.
Lc 21.15

Quem retém as palavras possui o conhecimento, e o sereno de espírito é homem de inteligência.
Até o estulto, quando se cala, é tido por sábio, e o que cerra os lábios, por sábio.
Pv 17.27

...O SENHOR aborrece...testemunha falsa que profere mentiras e o que semeia contendas entre irmãos.
Pv 6.16,19

O ímpio, com a boca, destrói o próximo, mas os justos são libertados pelo conhecimento.
No bem-estar dos justos exulta a cidade, e, perecendo os perversos, há júbilo.
Pela bênção que os retos suscitam [por causa deles], a cidade se exalta, mas pela boca dos perversos é derribada.
O que despreza o próximo é falto de senso, mas o homem prudente, este se cala.
O mexeriqueiro descobre o segredo, mas o fiel de espírito o encobre.
Pv 11.9-13

A boca do justo profere a sabedoria, e a sua língua fala o que é justo.
Sl 37.30

Agora, porém, despojai-vos, igualmente [completamente], de tudo isto: ira, indignação, maldade, maledicência, linguagem obscena do vosso falar.

Não mintais uns aos outros, uma vez que vos despistes do velho (não regenerado) homem com os seus feitos e vos revestistes do novo [espiritual] homem que [ainda no processo] se refaz para o pleno conhecimento, segundo a imagem (semelhança) daquele que o criou;

Cl 3.8-10

Deus não é homem, para que minta; nem filho de homem, para que se arrependa. Porventura, tendo ele prometido, não o fará? Ou, tendo falado, não o cumprirá?

Nm 23.19

Quando vier, porém, o Espírito da verdade (o Espírito que concede a verdade), ele vos guiará a toda (completa) a verdade; porque não falará por si mesmo [de sua própria autoridade], mas dirá tudo o que tiver ouvido [do Pai; ele dará a mensagem que foi dada a ele] e vos anunciará as coisas que hão de vir [que acontecerão no futuro].

Jo 16.13

Vós sois do diabo, que é vosso pai, e quereis satisfazer-lhe os desejos [que lhe são característicos]. Ele foi homicida desde o princípio e jamais se firmou na verdade, porque nele não há verdade. Quando ele profere mentira, fala do que lhe é próprio, porque é mentiroso ...

Jo 8.44

Quanto, porém, aos covardes, aos incrédulos, aos abomináveis, aos assassinos, aos impuros, aos feiticeiros, aos idólatras (aqueles que dão suprema devoção a qualquer um ou qualquer coisa que não seja a Deus) e a todos os mentirosos (aqueles que sabidamente conduzem a mentira por palavras ou obras), a parte que lhes cabe será no lago que arde com fogo e enxofre, a saber, a segunda morte.

Ap 21.8

Por isso, deixando a mentira, fale cada um a verdade com o seu próximo, porque somos membros uns dos outros
Nem deis lugar [oportunidade] ao diabo.

Ef 4.25,27

Versículos Sobre a Língua

Mas, seguindo a verdade [em tudo, falando a verdade, vivendo em verdade e lidando com a verdade] em amor, cresçamos em tudo naquele que é a cabeça, Cristo (o Messias, o Ungido)

Ef 4.15

Os lábios mentirosos são abomináveis ao SENHOR, mas os que agem fielmente são o seu prazer.

Pv 12.22

O homem que lisonjeia a seu próximo arma-lhe uma rede aos passos.

Pv 29.5

Não dirás falso testemunho contra o teu próximo.

Êx 20.16

Eis as coisas que deveis fazer: Falai a verdade cada um com o seu próximo, executai juízo nas vossas portas, segundo a verdade, em favor da paz;

Zc 8.16

O que diz a verdade manifesta a justiça (honestidade e postura correta diante de Deus), mas a testemunha falsa, a fraude. Alguém há cuja tagarelice é como pontas de espada, mas a língua dos sábios é medicina.

O lábio veraz permanece para sempre, mas a língua mentirosa, apenas um momento.

Pv 12.17-19

Ainda que eu fale as línguas dos homens e dos anjos, se não tiver amor (razão, intenção, devoção espiritual que é inspirado pelo amor de Deus em nós), serei como o bronze que soa ou como o címbalo que retine.

Ainda que eu tenha o dom de profetizar (o dom de interpretar o propósito e vontade divina) e conheça todos os mistérios e toda a ciência; ainda que eu tenha tamanha fé, a ponto de transportar montes, se não tiver amor (o amor de Deus em mim), nada serei (um inútil).

E ainda que eu distribua todos os meus bens entre os pobres e ainda que entregue o meu próprio corpo para ser queimado,

se não tiver amor (o amor de Deus em mim), nada disso me aproveitará.
1Co 13.1-3

Regozijai-vos e exultai, porque é grande (forte e intenso) o vosso galardão nos céus; pois assim perseguiram aos profetas que viveram antes de vós
Mt 5.12

Finalmente, sede todos de igual ânimo [unidos no espírito], compadecidos [uns com os outros], fraternalmente amigos, misericordiosos, humildes.

Não pagando mal por mal ou injúria (insulto, repreensão) por injúria; antes, pelo contrário, bendizendo [orando por seu bem-estar, felicidade e proteção e verdadeiramente amando-os e tendo misericórdia deles], pois para isto mesmo fostes chamados, a fim de receberdes bênção por herança [de Deus – para que você obtenha uma bênção como herdeiro, trazendo bem-estar, felicidade e proteção].

Pois quem quer amar a vida e ver dias felizes refreie a língua do mal e evite que os seus lábios falem dolosamente (com engano).
1Pe 3.8-10

Se exaltam a cabeça os que me cercam, cubra-os a maldade dos seus lábios.
Sl 140.9

Dessarte, serão levados a tropeçar; a própria língua se voltará contra eles; todos os que os vêem meneiam a cabeça.
Sl 64.8

Toda arma forjada contra ti não prosperará; toda língua que ousar contra ti em juízo, tu a condenarás; esta [paz, justiça, segurança, vitória sobre a oposição] é a herança dos servos do SENHOR [aqueles nos quais o Servo ideal do Senhor é reproduzido] e o seu direito que de mim procede [o que concedo a eles como sua justificação], diz o SENHOR.
Is 54.17

Pela bênção que os retos suscitam, a cidade se exalta, mas pela boca dos perversos é derribada.
Pv 11.11

Versículos Sobre a Língua

Em tudo, [não importa quais sejam as circunstâncias, sejais gratos], dai graças [a Deus], porque esta é a vontade de Deus em Cristo Jesus [o Revelador e Mediador desta vontade] para convosco.
1Ts 5.18
Por meio de Jesus, pois, ofereçamos a Deus, sempre, sacrifício de louvor, que é o fruto de lábios que confessam o seu nome.
Hb 13.15
Bendirei o SENHOR em todo o tempo, o seu louvor estará sempre nos meus lábios.
Sl 34.1
[Direcione tais pessoas] à lei e ao testemunho! Se eles não falarem desta maneira, jamais verão a alva.
Is 8.20
Porque em verdade vos afirmo que, se alguém disser a este monte: Ergue-te e lança-te no mar, e não duvidar no seu coração, mas crer que se fará o que diz, assim será com ele.
Mc 11.23
A seguir, foi Jesus levado (guiado) pelo Espírito [Santo] ao deserto, para ser tentado (testado e provado) pelo diabo.
E, depois de jejuar quarenta dias e quarenta noites, teve fome.
Então, o tentador, aproximando-se, lhe disse: Se és Filho de Deus, manda que estas pedras se transformem em pães.
Jesus, porém, respondeu: Está escrito: Não só de pão viverá o homem, mas de toda palavra que procede da boca de Deus.
Então, o diabo o levou à Cidade Santa, colocou-o sobre o pináculo (torre) do templo
e lhe disse: Se és Filho de Deus, atira-te abaixo, porque está escrito: Aos seus anjos ordenará a teu respeito que te guardem; e eles te susterão nas suas mãos, para não tropeçares nalguma pedra.
Respondeu-lhe Jesus: Também está escrito: Não tentarás o Senhor, teu Deus.
Levou-o ainda o diabo a um monte muito alto, mostrou-lhe todos os reinos do mundo e a glória (o esplendor, a magnifi-

cência, a proeminência e a excelência) deles e lhe disse: Tudo isto te darei se, prostrado, me adorares.

Então, Jesus lhe ordenou: Retira-te, Satanás, porque está escrito: Ao Senhor, teu Deus, adorarás, e só a ele darás culto.

Com isto, o deixou o diabo, e eis que vieram anjos e o serviram.

Mt 4.1-11

Sede, pois, imitadores de Deus, como filhos amados [que imitam seus pais].

Ef 5.1

Forjai espadas das vossas relhas de arado e lanças, das vossas podadeiras; diga o fraco: Eu sou forte [um guerreiro].

Jl 3.10

Disse-me o SENHOR: Viste bem, porque eu velo sobre a minha palavra para a cumprir.

Jr 1.12

Para sempre, ó SENHOR, está firmada a tua palavra no céu.

Sl 119.89

Prostrar-me-ei para o teu santo templo e louvarei o teu nome, por causa da tua misericórdia e da tua verdade, pois magnificaste acima de tudo o teu nome e a tua palavra.

Sl 138.2

Ele, que é o resplendor da glória [que irradia a divindade] e a expressão exata [de Deus] do seu Ser, sustentando todas as coisas pela palavra do seu poder, depois de ter feito a purificação dos pecados, assentou-se à direita da Majestade, nas alturas,

Hb 1.3

Pela fé, entendemos que foi o universo [durante as eras sucessivas] formado (confeccionado, colocado em ordem e equipado para o seu propósito) pela palavra de Deus, de maneira que o visível veio a existir das coisas que não aparecem.

Hb 11.3

No princípio [antes de todos os tempos] era o Verbo (Cristo), e o Verbo estava com Deus, e o Verbo era Deus.

Jo 1.1

Versículos Sobre a Língua

E o Verbo (Cristo) se fez carne (humano, encarnado) e habitou (estabeleceu sua tenda de carne enquanto viveu), entre nós, cheio de graça (favor, bondade amorosa) e de verdade, e vimos [na verdade] a sua glória (sua honra, majestade), glória como do unigênito do Pai.

Jo 1.14

Porém que se diz? A palavra (a mensagem de Deus em Cristo) está perto de ti, na tua boca e no teu coração; isto é, a palavra (a mensagem, a base e objeto) da fé que pregamos.

Se, com a tua boca, confessares Jesus como Senhor e, em teu coração, creres (aderires a, confiares em e dependeres de Cristo) que Deus o ressuscitou dentre os mortos, serás salvo.

Porque com o coração se crê (adere a, confia em e depende de Cristo) para justiça

(é declarado justo, aceitável a Deus) e com a boca se confessa (declara abertamente e fala livremente de sua fé) a respeito da salvação.

Rm 10.8-10

E conhecereis a verdade, e a verdade vos libertará.

Jo 8.32

Porque este mandamento que, hoje, te ordeno não é demasiado difícil, nem está longe de ti.

Não está nos céus, para dizeres: Quem subirá por nós aos céus, que no-lo traga e no-lo faça ouvir, para que o cumpramos?

Nem está além do mar, para dizeres: Quem passará por nós além do mar que no-lo traga e no-lo faça ouvir, para que o cumpramos?

Pois esta palavra está mui perto de ti, na tua boca e no teu coração, para a cumprires.

Dt 30.11-14

Despojando-vos, portanto, de toda maldade (depravação, malícia) e dolo, de hipocrisias (pretensão) e invejas (ciúmes) e de toda sorte de maledicências,

desejai ardentemente (tenha sede, deseje intensamente), como crianças recém-nascidas, o genuíno (puro) leite espiritual, para que, por ele, vos seja dado crescimento para [a total] salvação

1Pe 2.1-2

Agora, pois [irmãos], encomendo-vos ao Senhor e à palavra da sua graça, que tem poder para vos edificar e dar herança entre todos os que são santificados.

At 20.32

E, assim, a fé vem pela pregação [do que é dito], e a pregação [da mensagem que sai dos lábios], pela palavra de Cristo (o Messias).

Rm 10.17

Assim será a palavra que sair da minha boca: não voltará para mim vazia [sem produzir nenhum efeito], mas fará o que me apraz e prosperará naquilo para que a designei.

Is 55.11

E eles, tendo partido, pregaram em toda parte, cooperando com eles o Senhor e confirmando a palavra por meio de sinais, que se seguiam.

Mc 16.20

Tendo, porém, o mesmo espírito da fé, como está escrito: Eu cri; por isso, é que falei. Também nós cremos; por isso, também falamos.

2Co 4.13

Havendo, pois, o SENHOR Deus formado da terra todos os animais [selvagens] do campo e todas as aves dos céus, trouxe-os ao homem, para ver como este lhes chamaria; e o nome que o homem desse a todos os seres viventes, esse seria o nome deles.

Gn 2.19

Vai, pois, agora, e eu serei com a tua boca e te ensinarei o que hás de falar.

Êx 4.12

Que confirmo a palavra do meu servo e cumpro o conselho dos meus mensageiros; que digo de Jerusalém: Ela será [novamente] habitada; e das cidades de Judá: Elas serão [novamente] edificadas; e quanto às suas ruínas: Eu as levantarei.

Is 44.26

Versículos Sobre a Língua

Não crês que eu estou no Pai e que o Pai está em mim? As palavras que eu vos digo não as digo por mim mesmo; mas o Pai, que permanece em mim, faz as suas obras (seus próprios milagres, obras de poder).

Jo 14.10

Não é a minha palavra fogo [que consome tudo o que não resiste a provas], diz o SENHOR, e martelo que esmiúça a penha [da resistência mais acirrada]?

Jr 23.29

Passará o céu e a terra (o universo, o mundo), porém as minhas palavras não passarão.

Lc 21.33

Porque, pelas tuas palavras, serás justificado e, pelas tuas palavras, serás condenado.

Mt 12.37

Os lábios do justo apascentam a muitos, mas, por falta de senso, morrem os tolos.

Pv 10.21

Não cesses de falar deste Livro da Lei; antes, medita nele dia e noite, para que tenhas cuidado de fazer segundo tudo quanto nele está escrito; então, farás prosperar o teu caminho e serás bem-sucedido.

Js 1.8

Não multipliqueis palavras de orgulho, nem saiam coisas arrogantes da vossa boca; porque o SENHOR é o Deus da sabedoria e pesa todos os feitos na balança.

1Sm 2.3

Corte o SENHOR todos os lábios bajuladores, a língua que fala soberbamente

Sl 12.3

Sondas-me o coração, de noite me visitas, provas-me no fogo e iniqüidade nenhuma encontras em mim [nenhum mau desígnio]; a minha boca não transgride.

Sl 17.3

Refreia a língua do mal e os lábios de falarem dolosamente.
                                                    Sl 34.13
Faze-me atinar com o caminho dos teus preceitos, e meditarei nas tuas maravilhas.
                                                    Sl 119.27
Estás enredado com o que dizem os teus lábios, estás preso com as palavras da tua boca.
                                                    Pv 6.2
O homem de Belial, o homem vil, é o que anda com a perversidade na boca.
                                                    Pv 6.12
Folguem e em ti se rejubilem todos os que te buscam; os que amam a tua salvação digam sempre: O SENHOR seja magnificado!
                                                    Sl 40.16
Como de banha e de gordura farta-se a minha alma; e, com júbilo nos lábios, a minha boca te louva,
No meu leito, quando de ti me recordo e em ti medito, durante a vigília da noite.
                                                    Sl 63.5,6
Os lábios justos são o contentamento do rei, e ele ama o que fala coisas retas.
                                                    Pv 16.13
O perverso de coração jamais achará o bem; e o que tem a língua dobre vem a cair no mal.
                                                    Pv 17.20
Responder antes de ouvir é estultícia e vergonha.
                                                    Pv 18.13
Seja outro o que te louve, e não a tua boca; o estrangeiro, e não os teus lábios.
                                                    Pv 27.2
O insensato [autoconfiante] expande toda a sua ira, mas o sábio afinal lha reprime.
                                                    Pv 29.11

Versículos Sobre a Língua

Tens visto um homem precipitado nas suas palavras? Maior esperança há para o insensato [autoconfiante] do que para ele.

Pv 29.20

Tudo tem o seu tempo determinado, e há tempo para todo propósito debaixo do céu...

... tempo de rasgar e tempo de coser; tempo de estar calado e tempo de falar;

Ec 3.1,7

Porque Jerusalém está arruinada, e Judá, caída; porquanto a sua língua e as suas obras são contra o SENHOR, para desafiarem a sua gloriosa presença.

Is 3.8

Então, clamarás, e o SENHOR te responderá; gritarás por socorro, e ele dirá: Eis-me aqui. Se tirares do meio de ti o jugo [onde quer que os encontre], o dedo que ameaça, o falar injurioso;

Is 58:9

Seja, porém, a tua palavra: Sim, sim; não, não. O que disto passar vem do maligno.

Mt 5.37

Todavia, ficarás mudo e não poderás falar até ao dia em que estas coisas venham a realizar-se; porquanto não acreditaste nas minhas palavras, as quais, a seu tempo, se cumprirão.

Lc 1.20

Por isso, se alegrou o meu coração, e a minha língua exultou; além disto, também a minha própria carne repousará em esperança [acampará, levantará sua tenda e habitará na antecipada ressurreição].

At 2.26

Fazei tudo sem murmurações [contra Deus] nem contendas [entre vós].

Fp 2.14

E tudo o que fizerdes [seja o que for], seja em palavra, seja em ação, fazei-o em nome [e na dependência] do Senhor Jesus, dando por ele graças a Deus Pai.

Cl 3.17

... e a diligenciardes por viver tranqüilamente, cuidar do que é vosso e trabalhar com as próprias mãos, como vos ordenamos;
1Ts 4.11
Consolai-vos (admoestai-vos, exortai-vos), pois, uns aos outros e edificai-vos (fortalecei-vos e solidificai-vos) reciprocamente, como também estais fazendo.
1Ts 5.11
Tendo, pois, a Jesus, o Filho de Deus, como grande sumo sacerdote que penetrou os céus, conservemos firmes a nossa confissão [da fé nele].
Hb 4.14
Sabeis estas coisas, meus amados irmãos. Todo homem, pois, seja pronto para ouvir [um ouvinte disponível], tardio para falar, tardio para se irar.
Tg 1.19
[Meus] irmãos, não faleis mal uns dos outros. Aquele que fala mal do irmão ou julga a seu irmão fala mal da lei e julga a lei; ora, se julgas a lei, não és observador da lei, mas juiz.
Tg 4.11
Eles, pois, o [diabo] venceram (conquistaram) por causa do sangue do Cordeiro e por causa da palavra do testemunho que deram e, mesmo em face da morte, não amaram a própria vida [consideraram sua vida como nada até morrerem por seu testemunho].
Ap 12.11

Oração Para um Relacionamento Pessoal com o Senhor

Deus quer que você receba seu dom gratuito de salvação. Jesus quer salvá-lo e enchê-lo com o Espírito Santo mais do que tudo. Se você nunca convidou a Jesus, o Príncipe da Paz, para ser o seu Senhor e Salvador, eu o convido a fazer isso agora. Ore a seguinte oração e se, realmente for sincero, você experimentará uma nova vida em Cristo.

Pai,

Tu amaste tanto o mundo que deste teu único Filho para morrer por nossos pecados, para que todo aquele que nele crê não pereça, mas tenha a vida eterna.

Tua Palavra diz que pela graça somos salvos, por meio da fé, como um presente de ti. Não há nada que possamos fazer para ganhar a salvação.

Creio e confesso com minha boca que Jesus Cristo é seu Filho, o Salvador do mundo. Creio que ele morreu na cruz por mim e levou todos os meus pecados, pagando o preço por eles. Creio em meu coração que tu ressuscitaste Jesus dentre os mortos.

Eu te peço para perdoar meus pecados. Eu te confesso como meu Senhor. De acordo com tua Palavra, sou salvo e passarei a eternidade contigo! Obrigado, Pai. Sou muito grato! Em nome de Jesus, amém.

Ver Jo 3.16; Ef 2.8,9; Rm 10.9,10; 1 Co 15.3,4; 1 Jo 1.9; 4.14-16; 5.1,12,13.

Notas Finais

Capítulo 1

¹*Webster's II New College Dictionary* (Boston: Houghton Mifflin Company, 1995), verbete "sabedoria."

²Webster's II, verbete "prudência."

³Webster's II, verbete "prudente."

Capítulo 2

¹W. E. Vine, Merrill F. Unger, William White Jr., "Seção Novo Testamento," no *Vine's Complete Expository Dictionary of Old and New Testament Words* (Nashville: Thomas Nelson, Inc., 1984), p. 121, verbete "CONFIRMAR, CONFIRMAÇÃO, A. Verbos, No. 1, *BEBAIOO*.

²Vine, A. Verbos, No. 3, *KUROO*.

³Vine, B. Substantivos, *BEBAIOSIS*.

Capítulo 3

¹James E. Strong, "Dicionário Hebreu e Caldeu," no *Strong's Exhaustive Concordance of the Bible* (Nashville: Abingdon, 1890), p. 32, entrada # 1897, verbete "meditar," Josué 1.8.

²Strong, "Hebreu," p. 115, entrada # 7878, verbete "meditar," Salmo 119.148.

Capítulo 7

[1] Webster's II, verbete "cabresto."
[2] Webster's II, verbete "freio."
[3] Para uma discussão mais completa deste ponto, sugiro que você leia meu livro deste título. Ver a lista de livros no final deste livro.

Capítulo 10

[1] Vine, "Seção Novo Testamento," p. 580, verbete "difamador."
[2] Webster's II, verbete "difamação."
[3] James Strong, "Dicionário Grego do Novo Testamento," no *The New Strong's Exhaustive Concordance of the Bible* (Nashville: Thomas Nelson, Inc., 1990).
[4] Vine, p. 580, verbete "DIFAMADOR."
[5] Vine, p. 50, verbete "DIABO."
[6] Strong, "Grego," (Abingdon, 1890), p. 54, entrada # 3870.
[7] Strong, p. 55, entrada # 3875.

Capítulo 12

[1] *Webster's New World Dictionary of the American Language* (New World Publishing Company, 1969), verbete "intrometido."
[2] Webster's II, verbete "intrometido."
[3] Webster's II, verbete "fofoqueiro."
[4] Vine, "Seção Novo Testamento," p. 580, verbete "difamador."
[5] Webster's II, verbete "difamação."
[6] Webster's II, verbete "cochichar."

Capítulo 13

[1] Webster's II, verbete "disposição."

[2] Vine, "Seção Novo Testamento," pp. 128, 58, 59, verbete "CONVERSAÇÃO," "COMPORTAR, COMPORTAMENTO."

[3] Hannah Hurnard, *Mountains of Spices* (Wheaton: Tyndale House, Inc., 1979).

[4] Hurnard, pp. 222-229.

[5] Hurnard, pp. 168-174.

[6] Hurnard, pp. 136-144.

[7] Madame Jeanne Guyon, *Experiencing the Depths of Jesus Christ (na* França: anteriormente intitulado *Short and Very Easy Method of Prayer).* Direitos Reservados MCMLXXV por Gene Edwards (Gardiner, Maine: Christian Books).

Bibliografia

Guyon, Madame Jeanne. *Experiencing the Depths of Jesus Christ (na França:* anteriormente intitulado *Short and Very Easy Method of Prayer).* Direitos reservados MCMLXXV por Gene Edwards. Gardiner, Maine: Christian Books.

Hurnard, Hannah. *Mountains of Spices.* Wheaton: Tyndale House, Inc., 1979.

Strong, James. *The New Strong's Exhaustive Concordance of the Bible.* Nashville: Thomas Nelson, Inc., 1990.

_____. *Strong's Exhaustive Concordance of the Bible.* Nashville: Abingdon, 1890.

Vine, W. E., Unger, Merrill F., White Jr., William. "Seção Novo Testamento." No *Vine's Complete Expository Dictionary of Old and New Testament Words.* Nashville: Thomas Nelson, Inc., 1984.

Webster's New World Dictionary of the American Language. New World Publishing Company, 1969.

Webster's II New College Dictionary. Boston: Houghton Mifflin Company, 1995.

Sobre a Autora

Joyce Meyer é uma das líderes no ensino prático da Bíblia no mundo. Renomada autora de bestsellers pelo *New York Times*, seus livros ajudaram milhões de pessoas a acharem esperança e restauração através de Jesus Cristo.

Através dos *Ministérios Joyce Meyer*, ela ensina sobre centenas de assuntos, é autora de mais de 80 livros e conduz aproximadamente 15 conferências por ano. Até hoje, mais de 12 milhões de seus livros foram distribuídos mundialmente, e em 2007 mais de 3.2 milhões de cópias foram vendidas. Joyce também tem um programa de TV e de radio, *Desfrutando a Vida Diária*®, o qual é transmitido mundialmente para uma audiência potencial de 3 bilhões de pessoas. Acesse seus programas a qualquer hora no site www.joycemeyer.com.br

Tendo sofrido abuso sexual quando criança e a dor de um primeiro casamento emocionalmente abusivo, Joyce descobriu a liberdade de viver vitoriosamente aplicando a Palavra de Deus à sua vida, e deseja ajudar que os outros façam o mesmo. Desde sua batalha com câncer no seio até as lutas da vida diária, ela fala aberta e praticamente sobre sua experiência de modo que outros possam aplicar o que ela aprendeu às suas vidas.

Durante os anos, Deus proveu a Joyce com muitas oportunidades de compartilhar o seu testemunho e a mensagem de mudança de vida do Evangelho. De fato, a revista *Time* a selecionou como uma das mais influentes líderes evangélicas na America. Ela é um incrível testemunho do dinâmico e restaurador trabalho de Jesus Cristo. Ela crê e ensina que, independente do passado da pessoa ou dos erros cometidos no passado, Deus tem um lugar para elas, e pode ajudá-las em seus caminhos para desfrutarem a vida diária.

Joyce tem um merecido PhD em teologia obtido da Universidade Life Christian em Tampa, Florida; um honorário doutorado em divindade da Universidade Oral Roberts University em Tulsa, Oklahoma; e um honorário doutorado em teologia sacra da Universidade Grand Canyon em Phoenix, Arizona. Joyce e seu marido, Dave, são casados há mais de quarenta anos e são pais de quarto filhos adultos. Dave e Joyce Meyer vivem atualmente em St. Louis, Missouri.